'MÂS O 'MA'

'MÂS O 'MÂ'

MEIC STEVENS

Hunangofiant Rhan 3

GYDAG ANNES GRUFFYDD

Argraffiad cyntaf: 2011

Dymuna'r cyhoeddwyr gydnabod cymorth ariannol
Cyngor Llyfrau Cymru

Llun y clawr: Gerallt Llewelyn
Llun Meic yn y Drwm (clawr ôl): Hefin Jones
Cynllun y clawr: Y Lolfa

Diolch i Annes Gruffydd am ei gwaith
ac i Gerallt Llewelyn am y lluniau

Rhif Llyfr Rhyngwladol: 978 1 84771 324 7

Cyhoeddwyd, rhwymwyd ac argraffwyd yng Nghymru gan
Y Lolfa Cyf., Talybont, Ceredigion SY24 5HE
gwefan www.ylolfa.com
e-bost ylolfa@ylolfa.com
ffôn 01970 832 304
ffacs 832 782

CYNNWYS

1. Y dechre a'r diwedd? Pwy a ŵyr? 7
2. Dysgu byw hebddi 12
3. Y blaidd yn y Ray-Bans glas 19
4. *Sgrech* 25
5. Geni band 32
6. *Lapis Lazuli* 39
7. Dal i gredu 47
8. Trwbadŵr 53
9. Cyflwyno Frances 58
10. Yn hwyr neu'n hwyrach 65
11. Dianc o Stryd Brunswick 72
12. Fran yn diflannu 78
13. *Mihangel* 84
14. Fi a'r 'Arkestra' (Band y Bîb) 87
15. Steddfod Tyddewi (Cyngerdd yn y pafiliwn) 92
16. East Tyndall Street 98
17. Denize 105
18. Lleuwen 110
19. *Love Songs* 118
20. Dal i ddal i fynd 125
21. Priodas Wizz 128
22. Sgarmes yn yr Old Cross Hotel 137
23. Gigs 144
24. Y Miwsos 149
25. Tich Gwilym 156
26. Nos da, ffrindie 161

Epilog: Mas o 'ma 164

PENNOD 1

Y dechre a'r diwedd? Pwy a ŵyr?

Mai 2010

Cyrraedd gorsaf Paddington, sy wedi newid yn llwyr ers o'n i 'ma ddwetha, dair blynedd 'nôl. Y chweched o Fai 2010 yw hi a dwi ynghanol bwrlwm ffair, 'run peth â phob gorsaf brysur arall ym Mhrydain – lle mae cyfrifwyr â'u crafange barus ynghanol drysfa o siope bwyd jync afiach, *boutiques* cachlyd, barre'n gwerthu cwrw ffasiynol am bum punt y peint, a siope Smiths, wrth gwrs! Mae'r 'enwau' mawr i gyd yno, fel ym mhob gorsaf arall. Fydde Brunel ddim yn gallu neud unrhyw sens o hyn – bydde fe'n rhoi cic yn eu tine nhw a'u hel nhw o'na fel nath Iesu Grist i'r lladron a'r gwerthwyr colomennod, ieir a geifr yn y Deml.

Roedd y stâr i'r Tiwb wedi diflannu ac roedd rhaid ffeindio lifft i lawr i'r isfyd – tybed fydde rhybuddion bom heddi? I lawr â fi i'r lefel is lle mae peirianne tocynne'n sefyll fel Daleks; es i at y bwth tocynne a chodi tocyn i fynd i'r Archway ar y Northern Line. Rhyfeddod y byd, mae'r ferch yn y bwth a gwên ar ei hwyneb *ac* mae'n gwrtais, a dyw hi ddim yn dod o Jamaica. Mae'r tocyn yn ddrud – cyfalafiaeth ronc unweth 'to! Canlyniad preifateiddio, falle?

Ta beth, rhaid byw 'da ariangarwch bob munud – alla i ddim diodde pobol farus. Dwi'n cerdded heibio'r gwarchodwyr robot ac i lawr â fi eto ar y grisie symud gan gofio'r tro cynta gwefreiddiol hwnnw y des i ar draws y rheini pan o'n i'n bedair oed – paid amau fy nghof i, ddarllenydd annwyl! O drwch blewyn yn llythrennol, dwi'n llwyddo i wasgu fy hunan ar drên i King's Cross, sgrepan ar fy nghefen a Betty (fy ngitâr Martin) yn ei chês. Yn King's Cross dwi'n newid i drên arall, am y tro ola, ac wedyn yn cerdded ar hyd ffordd farwaidd, fyglyd, fudur, lychlyd. Mae'r traffig yn uffernol ac yn frawychus ac mae syched arna i, felly i mewn â fi i'r bar Gwyddelig Mother Red Cap, sydd wedi'i ailwampio'n ddi-chwaeth â chelfi rhad, setiau teledu anferth â'u gême pêl-droed swnllyd, ac yfwyr diflas. Mae'r Padis yn fy llygadu i'n amheus; mae golwg un o'r IRA arna i, siŵr o fod, yn fy nghot dywyll, *beret* du a sbectol Ray-Bans. "Dyma drwbwl yn dod!" Clec i beint o Guinness (fydda i ddim yn yfed cwrw fel arfer) ac yna ei baglu hi, wedi blino'n lân, i dŷ Angie yn Elthorne Road. A dyna hi, Angela fach, yn fy nghroesawu â gwên fawr, yn fy arwain i'r gegin fach yn y cefen a rhoi glased o win coch yn fy llaw i.

Mae Angela a fi'r un oedran, yn ffrindie ers cyfarfod yn Ysgol Gelf Caerdydd yn un ar bymtheg oed. Merch hardd yw Angela, a gafodd gam – cael clec gan ryw foi a gorfod talu am hynny a hala'r rhan fwya o'i hoes yn byw 'dag e yn Llunden. Rai blynydde'n ôl, rhoddodd hi gic mas iddo fe, a nawr mae'n byw gyda'i dau blentyn sy'n oedolion erbyn hyn: Saul, sy'n adfer murlunie a cherflunie Oes y Dadeni ac sy'n dwlu ar orang-wtangod, a'i chwaer Sarah, sy'n gweithio yn y Royal Academy.

Yn ddiweddarach, mae hi'n paratoi pryd o fwyd blasus – puprau wedi'u rhostio gyda chaws ffeta (dim ansiofis – maen nhw'n llysieuwyr). A dyma siarad a siarad a chwerthin a chwerthin fel petaen ni heb fod ar wahân erioed, a mynd i'r gwely tua hanner awr wedi hanner nos. Ond dwi'n dal i fod ar bige'r drain er gwaetha'r bwyd da, y gwin ac ambell fwgyn o fwg drwg du Affgani, a ddaeth 'nôl gyda bois y fyddin o'r brwydro twp 'na. Iechyd da, bois bach!

Fore trannoeth mae'r tacsi'n cyrraedd am hanner awr wedi chwech ac mae rhyw foi o Malta'n mynd â fi ar hyd strydoedd bron yn wag i faes awyr Gatwick – a oedd yn bellach o lawer nag a feddyliais i ac, ar yr awr gynnar honno, am ugain munud wedi saith, yn llawn teithwyr. Dyma roi fy hunan yn sownd wrth gwt cordeddog – rhai yn ei chychwyn hi i'r de am wledydd heulog fel Sbaen, Groeg, Twrci, ac eraill, fel fi, ar eu ffordd i Ganada neu'r Unol Daleithiau.

Mae'r diogelwch yn dynn iawn – synwyryddion metal, archwilio cyrff, gorfod tynnu sgidiau – diolch i'r crincs Islamaidd sy'n benderfynol o darfu arnon ni a dinistrio ein byd ni yn y Gorllewin!

Dair awr yn ddiweddarach dyma ni'n cael ein gyrru'n un haid ar hyd coridore diddiwedd, a gweld yr awyrenne enfawr wedi'u parcio'n ddidaro ar y tarmac. Lolfa arall, seti plastig, bagie llaw dros y lle ym mhob man. Does dim bag llaw 'da fi a dwi'n poeni am Betty, sydd erbyn hyn yn howld yr awyren y byddwn ni hefyd, ymhen hir a hwyr, yn cael ein hwrjo iddi. Mae'r awyren i Vancouver hanner awr yn hwyr yn codi a thaith o fwy na phum mil o filltiroedd, deg awr a hanner, o'n blaene. Mae'n debyg fod rhyw losgfynydd wedi ffrwydro yng Ngwlad yr Iâ a gafodd effaith ar awyrenne'n hedfan. Ond roedd popeth yn iawn heddi, diolch byth!

Dwi'n ishte yn sêt rhif 68, wedi 'ngwasgu rhwng merch – Canadiad Tsieineaidd – o Vancouver, a dyn mewn oed o Sheffield sydd, fel fi, yn rhoi tro am hen wejen mae heb ei gweld ers dros ddeugain mlynedd. Ac odanon ni, ddeugain mil o droedfeddi islaw, mae Gwlad yr Iâ a'i llosgfynydd ffrwydrol, yna anialdir rhewllyd yr Ynys Las, wedyn y rhan fwya o Ganada yn llusgo heibio'n araf, araf. Doedd llun yr awyren ar y sgrin fach ar y sêt o 'mlân i ddim yn symud, cwsg ddim yn dod, awr ar ôl awr, sothach, gwin, te, coffi, a bwyd (o ryw fath) gan y *trolley dollies*.

O'r diwedd, wedi blino, wedi cael llond bola, r'yn ni'n glanio, yn anochel, yn Vancouver. Ydi'r artaith o daith ar ben o'r diwedd? Dwi'n dychmygu sut roedd criw Columbus ar y *Santa Maria* yn teimlo pan ddaethon nhw i'r lan (yn wyrthiol) rywle ar Ynysoedd y Caribî yn 1492! Ond doedd ein taith ni ddim mor beryglus â honno, dim ond tamed bach o *jet lag,* 'na i gyd! I ffwrdd â ni wedyn i mewn i ogof anferth maes awyr Vancouver.

Dyma Miss Shanghai, fy nghymdoges ar y daith, yn fy nghymryd o dan ei hadain, diolch i Dduw! Roedd hi wedi'i gweddnewid yn ffesant euraidd, trwy ryw hud. Roedd ei thad-cu, mae'n debyg, wedi mentro'i fywyd trwy ddianc rhag chwyldro diwylliannol Mao Tse Tung. Ro'n i'n rhyfeddu at ei gofal a'i charedigrwydd annisgwyl. Dyma fy mhrofiad cynta o groeso cynnes pobol Canada.

Daeth ei theulu i gyfarfod â hi yn y maes awyr ac, ar ôl trafod, dyma nhw'n cytuno i'm hebrwng i ganol y dre i'r safle bysys, lle rhoddodd hi docyn i fi ac arian mân Canada i brynu tocyn arall, gan fod rhaid teithio drwy ddwy ardal i gyrraedd y fferi yn Horseshoe Bay. Yn ddiweddarach, wrth groesi pont Lions Gate yn nhiroedd hardd Stanley Park, ro'n i'n rhyfeddu at y golygfeydd drwy lenni enfawr o goed pinwydd, ffynidwydd, ffawydd coprog, masarn a gwyros yn flode gwyn i gyd – symbol Columbia Brydeinig – a'r bŷs yn teithio tua BC Ferries yn Horseshoe Bay a'r olygfa gynta o Ynys Vancouver bell, dwy awr o daith, o dan awyr las ar fore heulog ymhell bell o Walia Wen.

Ar y llong, syrthiais yn glewt i gadair freichiau, cysgu drwy'r awr gynta a phendwmpian drwy'r ail. O'r diwedd, glanio yn Nanaimo, porthladd Ynys Vancouver, wedi blino'n shwps. Mynd lan y bompren serth, a gweld Liz yn sefyll mewn ffrog bert a brynodd hi yn Howells yng Nghaerdydd. Ro'n i gyda hi ar y diwrnod hwnnw ac yn cofio'n iawn! Ro'n i'n hollol benysgafn wrth lwytho Betty a fy sgrepan fach (yr un un ag a ddefnyddiais i siopa yng Nghaerdydd!). Gyrru wedyn tua Dyffryn Comox ar arfordir y dwyrain, drigain neu ddeg a thrigain o filltiroedd i ffwrdd. Unweth 'to, ro'n i wedi dod i ddiwedd un cyfnod ac ar fin dechre cyfnod newydd, rhyfedd, cynhyrfus ond byth yn derfynol, chwaith!

PENNOD 2
Dysgu byw hebddi

MAE LLYDAW YNO o hyd, yn ymrithio ar orwel y de, fel rhyw ddrychiolaeth annaearol yn niwl llwydlas, lledrithiol y wawr. Yno hefyd mae Restparcou, cartre Louis L'Officiel, un o'r gwladgarwyr Llydewig gore y cwrddais i ag e erioed, a fydde'n barod i roi ei fywyd dros ei wlad, fel un o farchogion y Brenin Arthur. Yno hefyd roedd fy ffrind a'm brawd ysbrydol, Gweltaz ar Fur (Gweltaz y Doeth), heddychwr arall – er ei bod hi'n anodd bod yn heddychwr pan fo grym tramor nid yn unig yn rheoli'r economi ond yn pasio'r deddfe, yn eich trin chi fel dinesydd eilradd ac yn codi atomfeydd ar eich parcie cenedlaethol. Rhyfelwr yw Gweltaz, yn dal i frwydro dros fywyd a dyfodol gwell i bobol Llydaw, heb reolaeth ormesol Ffrainc. Llydaw rydd yw'r nod, a'r gallu ganddi i lywodraethu a rheoli ei materion ei hunan, a dangos i'r oes fodern ei hunaniaeth genedlaethol a'i chyfoeth economaidd, hanesyddol ac artistig.

Gweltaz fu'n benna cyfrifol am fy llwyddiant fel canwr yn Llydaw, a fi oedd y canwr cynta o Gymru i ddod yn adnabyddus yno. Yn 1972 roedd Gweltaz wedi estyn gwahoddiad i mi berfformio yng ngŵyl werin gynta Lorient – yr ŵyl werin ryngwladol fwya yn Ewrop erbyn hyn. Yn anffodus, allwn i ddim mynd am ei bod yn cyd-daro â'r Eisteddfod Genedlaethol bob blwyddyn yn ystod wythnos gynta mis Awst.

Dwi erioed wedi canu yn Lorient, er mod i'n un o geffyle blân y byd cerdd yng Nghymru ers i mi ddechre sgrifennu a pherfformio yn 1968. Yn wir, er cryn embaras, dwi wedi cael fy ngalw'n 'benteulu canu gwerin Cymru' ac yn 'chwedl o ddyn'. Yn ôl y sôn, dwi hefyd yn dipyn o 'athrylith' ar y gitâr ond dwi'n haeddu dim o'r canmol hyn ac mae'r cwbwl ymhell ohoni (Duw gadwo'r wasg!).

Dwi erioed, felly, wedi perfformio yn Lorient nac ychwaith mewn gwyliau Celtaidd eraill lle mae'r tâl yn dda a phosibilrwydd o ennill enwogrwydd a gwerthu mwy o recordie. Ystyriaethe ariannol fu y tu ôl i hyn fel arfer, a'r ffaith nad oedd rhai unigolion yng Nghymru, wedi cael eu penodi gan drefnwyr y gwyliau yn Lorient, yn awyddus i fi fod yno. Yn fy marn i, ychydig a wydde'r asiantiaid hyn am gerddoriaeth Llydaw a Chymru, a do'n nhw ddim yn gwbod beth roedd y cyhoedd yn galw amdano yng Nghymru nac yn sicr yn Llydaw; do'n nhw ddim yn ymwybodol o'r hyn oedd yn dda ac yn boblogaidd a bydden nhw, yn y pen draw, yn anfon rhyw gerddorion amatur yno, oedd yn cyfri'r daith fel gwyliau bach ar y *piss*! Hefyd, am resymau personol mae'n amlwg, do'n nhw ddim yn meddwl mod i'n addas i gynrychioli Cymru dramor, er mai fi oedd y canwr o Gymro enwoca a mwya poblogaidd yn Llydaw, o bell ffordd.

Ches i erioed fy nerbyn gan grachach y BBC a'r Taffia (pwy bynnag ydyn nhw?!): roedd carfanau yng Nghymru – ac i raddau maen nhw yno o hyd – yn gwneud eu gore i bardduo fy enw trwy ledaenu clecs celwyddog amdana i. Mae eu gor-ddweud llawn gwatwar, eu penderfyniade cul, eu diffyg dawn greadigol wedi rhoi'r sbroc yn olwyn unrhyw gynnydd artistig erioed. Mae diffyg diddordeb anhygoel hefyd ym myd y celfyddyde yng Nghymru – diffyg ymwybyddiaeth – yn arbennig yn y byd cerdd, byd nad ydyn nhw, a siarad yn gyffredinol, byth yn ei gymryd o ddifri. Maen nhw'n saff yn eu swyddi bras, yn cropian ar eu cyflymdra'u hunain (fel angladd malwen ar darmac gwlyb!), yn barod i saethu unrhyw beth sy'n symud yn gynt na hynny, neu unrhyw syniad nad ydyn nhw'n ei ddeall. Maen nhw'n anwybodus, yn anartistig, falle'n genfigennus a'u hunig gymhelliad yw hyrwyddo'u statws eu hunain a'u cynnal eu hunain yn eu henaint – fel picls mewn jar! Sy'n fendigedig gyda bara a chaws fferm!

Yn ddiweddarach, yn ôl pob golwg, bachwyd asiantaeth Lorient gan y gwerins *arty-farty* na wydden nhw fawr ddim am gerddoriaeth Cymru na Llydaw – pobol fel y criwie *bodhrán* jigi-jiglyd, yn locsys a jyrsis wedi'u gwau i gyd, sy'n meddwl mai hen fenyw yn maldodi telyn o flân y tân mewn bwthyn bach to gwellt yw cerddoriaeth Cymru. Heb sôn am ddawnswyr y glocsen a bandie gwerin o ffidlau ac acordions sy'n chware cerddoriaeth Iwerddon ac sy'n esgus bod yn ganu gwerin Cymru – ond fydd e byth! Mae'r sothach 'ma i gyd yn fodd i fyw i'r Byrdde Croeso sydd â'r arian i noddi'r rwtsh! Dyma be sy'n cael ei anfon dramor a'i werthu fel celfyddyd gerddorol Cymru. Mae'n warth mentro chware ffurfie cerddorol eraill – R&B, y felan a cherddoriaeth roc! Ond mae dylanwade jazz i'w clywed ar recordie gwerin modern yng Nghymru. Mae ffans pybyr jazz dwi wedi'u cyfarfod yn hen snobs annioddefol sydd ddim yn deall beth maen nhw'n ei glywed. Unweth, pan ofynnwyd i Count Basie pa fath o gerddoriaeth roedd e'n ei chware, ei ateb oedd "Cerddoriaeth dda". Does dim gwadu bod yr asiantiaid hyn, heb ddiferyn o waed y cerddor ynddyn nhw, yn dda eu byd, yn cael gwylie am ddim a threulie bras.

Ar nodyn mwy ysgafn, trefnwyd gŵyl Lydewig-Gymreig yn ddiweddar gan yr *entrepreneur* o Sbaenwr sy'n rhedeg gŵyl Lorient a'r Awstraliad oedd yn rhedeg Canolfan Mileniwm Cymru yn nocie Caerdydd. Clywais sôn nad oedd gan yr un o'r rhain iot o wybodaeth am gerddoriaeth Cymru a Llydaw; pobol fusnes ydyn nhw'n fwy na dim – hynny yw, hyrwyddwyr proffesiynol. Ches i ddim gwahoddiad i berfformio ond ces fy smyglo, yn dawel bach, i'r llwyfan. Doedd hyd yn oed y rheolwr llwyfan ddim yn gwbod mod i'n mynd i berfformio. Dyma Lleuwen Steffan a Nolwenn Korbell yn fy ngwahodd i i'r llwyfan ac, ar ddiwedd set wych o ganeuon Llydaw a Chymru, yn fy nghyflwyno i ar gyfer y gân ola a ninne'n canu un o fy nghaneuon mwya poblogaidd, 'Cân Walter', gyda'n gilydd. Ar ddiwedd y gân aeth y gynulleidfa'n wyllt, gan guro dwylo, gweiddi hwrê, curo'r llawr a chwibanu. Dynnon ni'r lle i lawr! Nid y bandie pibe a drymie oedd mor hoff gan y Byrdde Croeso yn eu siwtie ffurfiol wnaeth argraff y noson honno, na dawnswyr y glocsen na'r telynorion, ond tri chanwr da yn canu cân oedd eisoes yn annwyl gan y cyhoedd. Gadewais y llwyfan â 'mhen i'n troi. Cyrhaeddon ni'r uchelfanne y noson honno, ninne ar ein gore a'r gynulleidfa wrth ei bodd.

Yn ôl i'r gorffennol. Cychwynnais unweth 'to drwy'r caeau marchysgall (*artichokes*) seicadelig ac anelu at

Kemper a Gweltaz ar Fur yn ei siop lyfre dros y ffordd i eglwys gadeiriol Sant Corentin a'r cerflun o'r brenin Gralon o'r Oesoedd Canol. Siop lyfre a recordie yn Kemper – ac ynddi stoc dda, unigryw – yw Ar Bed Keltiek (Y Byd Celtaidd) a phan fydda i'n cyrraedd Llydaw mae gan Gweltaz bob amser rywbeth newydd a diddorol i'w hybu: bardd, arlunydd, band, unawdydd neu rywbeth arall i gnoi cil drosto. Mae e hefyd yn trefnu gìg neu ddau i mi ac yn fy rhoi ar drywydd y chwiw gerddorol ddiweddara. Mae Gweltaz bob amser â'i fys ar byls byd cerdd Llydaw ac roedd ef ei hun ar flaen y gad gydag Alan Stivell, Youenn Guernig, Glenmor, Georges Brassens a'r brodyr Molard ar ddiwedd y chwedege.

Band Gweltaz ar Fur a fi, Kemper, 2009

Ar ddiwedd y saithdege roedd cerddoriaeth Llydaw yn cael ei hailddiffinio a'i hadfywio. Ynghanol y newid hwn roedd grŵp o gerddorion o'r enw Gwerz (Gwyrdd) dan arweiniad y canwr Erik Marchand, a oedd hefyd yn byw yn Restparcou. Gydag e roedd Patrick a Jacky Molard ar y pibe a'r offerynne taro, Christian Lemaître ar y ffidil a'r gitâr a Jamie McMenemy yn canu'r bwswci. Mae Jamie'n dal i fyw ac i weithio yn Llydaw ac mae'n gerddor dawnus iawn, fel gweddill y band. Roedd criw anffurfiol o berchnogion barre a bistros ledled Llydaw wedi dechre trefnu sesiyne cerddoriaeth yn hwyr y nos. Wrth gwrs, roedd 'na ganu mewn tafarne'n mynd mlân o hyd. Roedd 'na lot o hwyl a dim un Gwyddel o gwmpas y lle bryd 'ny, yn 1974!

Hanter Noz (Hanner Nos) oedd enw'r gigs hyn ac ro'n nhw'n dod â goreuon canu gwerin Llydaw at ei gilydd mewn awyrgylch hamddenol braf. Roedd gan Hanter Noz gysylltiadau gwleidyddol hefyd; roedd cerddoriaeth newydd Llydaw, 'run fath ag yng Nghymru ar y pryd, yn perthyn yn glòs i'r frwydyr genedlgarol. Roedd Hanter Noz yn llwyddiant mawr ac arweiniodd y ffordd i gerddoriaeth Llydaw ddatblygu i'r hyn ydyw heddi ar y llwyfan rhyngwladol.

Yn ôl ata i a Restparcou. Gyda Louis L'Officiel, yn hen fwthyn ei deulu, y byddwn i'n aros bob tro. Roedd hi bron â bod yn amhosib dod o hyd i Restparcou, trwy ddrysni o hewlydd cefen. Ffarm oedd hi yn y bôn, yng nghanol adfeilion hen fythynnod, ac yn gartre i deulu estynedig ym mherfeddion cefen gwlad ger Poullaouen, lle roedd cloddio arian a phlwm yn brif waith y trigolion ar un adeg.

Yn hen wely mam-gu Louis y byddwn i'n cysgu,

PENNOD 3

Y blaidd yn y Ray-Bans glas

DWY FERCH IFANC yn gwthio'u ffordd i flân pafiliwn gorlawn yng Nghorwen. Roedd to ifanc y Gymru Gymraeg wedi dod ar y bererindod flynyddol ar hyd yr A5 i'r pafiliwn hynafol oedd heno'n gartre i wobre roc, pop a gwerin Cymru – cyngerdd a gynhelid gan y cylchgrawn *Sgrech*.

Ro'n i'n perfformio ar lwyfan gydag adran rhythm band Rhiannon Tomos, yn canu gitâr ar fenthyg gan stiwdio Recordiau Sain ac, ar ôl cyrraedd, benthycais hefyd y Brodyr Marx, sef gitarydd bas a drymiwr band Rhiannon, a Mered Morris, y gitarydd blaen o Fangor. Dyma'r tro cynta i ni chware gyda'n gilydd ac roedd yn achlysur pwysig. Enillodd Rhiannon bleidlais cantores roc y flwyddyn a minne'r canwr gore mewn pôl piniwn a gafodd ei redeg gan *Sgrech*.

"Fasat ti'n dangos dy wddw i'r blaidd yn y Ray-Bans glas?" gofynnodd un o'r merched i'r llall. "Baswn, wrth gwrs!" bloeddiodd y leia o'r ddwy. Myfyrwraig ddeniadol iawn bedair ar bymtheg oed oedd hi, a fi oedd y blaidd yn y Ray-Bans glas, yn fy mhedwardege ac yn joio mas draw ar lwyfan gyda band roc. Ro'n i'n gwisgo jyrsi dynn tîm beics yr Eidal a 'Zonco Santini' yn fawr ar y tu blân, yn dene fel styllen ac yn ffit ar ôl dwy neu dair blynedd yn potsian o gwmpas Eryri a manne eraill. Ro'n i erbyn 'ny wedi dechre dod dros y diflastod o golli Gwenlli, ond heb ddod drosti'n llwyr chwaith, ac yn byw un dydd ar y tro, i'r funud, i'r awr. Roedd fy nghariad o Lanberis yn y gynulleidfa hefyd ond doedd gan yr un ohonon ni ddim clem beth roedd y sylw am y blaidd yn y Ray-Bans glas wedi'i sbarduno na beth fyddai tynged y blaidd! Doedd gan y blaidd ddim syniad bod helfa ar droed, ond taw Hugan Fach Goch oedd yn hela.

Partïo drwy'r nos, a'r rhan fwya o'r diwrnod drannoeth, mewn gwesty gerllaw fu'n hanes ni, finne a bois Ar Log. Wedyn aethon ni'r band ar chwâl i ranne eraill o Gymru. Roedd hi'n benwythnos gwych, pawb wedi cael modd i fyw a cherddoriaeth o safon wedi cael ei chware i'r gynulleidfa anferth. Trueni nad oes yr un brwdfrydedd yn sîn roc Cymru erbyn hyn. Dyna'r tro cynta i fi gwrdd â Stephen Rees. Roedd e'n fyfyriwr yn Rhydychen ar y pryd. Mae e'n gerddor naturiol ardderchog.

Ddiwrnod neu ddau'n ddiweddarach ro'n i'n gwneud yn fawr o groeso Big Beryl a'i soffa hud (a fu'n eiddo i'w thad, Uchel-Siryf Sir Gaerfyrddin, ar un adeg) yn ei fflat yn Conway Road, Caerdydd. Roedd fy nghariad yng Nghaerdydd hefyd, yn gweithio fel nyrs ac yn byw mewn cartre nyrsys ar Heol Casnewydd. Ambell waith bydde hi'n fy smyglo i mewn heibio i ddrws y warden ar y llawr gwaelod, fel yn yr hen ddyddie pan o'n i'n fyfyriwr yn dringo i hostel merched y brifysgol yn Neuadd Aberdâr gefen nos, yn anweledig o dan glogyn ieuenctid! I ennill bet, roedd rhaid aros dros nos gyda merch!

Un noson, beth amser wedyn, aethom i un o gyngherdde Man, y band o ardal Llanelli, yn y Top Rank ar Heol y Frenhines. Roedd Man wedi ailffurfio ar gyfer gìg ffarwél – nhw mae'n debyg oedd y band roc mwya hirsefydlog yng Nghymru. Cawsai Deke Leonard, y canwr blaen, drawiad cas rai blynydde cyn hynny. Un o brif sgil-effeithiau hynny, ar wahân i bron â marw, oedd bod ei ymennydd wedi anghofio sut i chware'r gitâr a bu'n rhaid iddo ailddysgu o'r dechre'n deg! Ond ro'n nhw 'nôl ar lwyfan unweth 'to – Martin Ace, Micky Jones, Deke, Clive John a hefyd Terry Williams, oedd newydd ymddeol o chware gyda Dire Straits!

Roedd y Rank dan ei sang a Man yn chware eu brand unigryw o gerddoriaeth roc asid. Rywsut neu'i gilydd, collodd fy nghariad a fi olwg ar ein gilydd. Yn sydyn, teimlais blwc ar fy llawes a dyna lle roedd merch ifanc bert yn gwisgo *ballgown* werdd, ddrud, ddi-strap oedd yn gadael y rhan fwya o hanner ucha ei chorff yn noeth. Yn ddiarwybod, ro'n i wyneb yn wyneb â Diana'r helwraig, y ferch yn y gìg yng Nghorwen, heblaw mai Susan oedd ei henw! Roedd hi'n fyfyrwraig yn Goldsmiths College yn Llunden ar y pryd, yn astudio Saesneg a Drama, ac wedi dod i Gaerdydd dros y Sul i ddod o hyd i'r blaidd yn y Ray-Bans glas. Ac wedi llwyddo!

Wedi colli ei ffrindie roedd hi, medde hi, ac wedi cael ei chloi mas o'i llety. Cysgu ar lawr stafell ffrynt ffrindie wnaethon ni, a dyna ddechre perthynas gynhyrfus, lawn hwyl, ond o anfodd o'm rhan i. Pam dwi'n gwneud pethe fel hyn? Ai bachgen bach ydw i, sy'n methu dweud na?

Roedd Susan yn ferch henaidd, gall, wedi cael ei

magu fel'ny, yn fwy deallus na'r rhan fwya o oedolion, wedi dangos gallu eithriadol yn yr ysgol ym Mangor a sefyll arholiad mynediad i Gaergrawnt. Roedd gan ei thad gynllunie academaidd mawr iddi, ond methodd Susan y cyfweliad yn fwriadol drwy sarhau'r arholwyr am ei bod hi isie dilyn cwrs Saesneg a Drama yn Goldsmiths. Chafodd hi ddim cynnig lle yng Nghaergrawnt ond fe'i croesawyd â breichiau agored yn Goldsmiths. Rywsut neu'i gilydd roedd Susan, Suzi, bob amser yn cael ei ffordd ei hun.

Ar drywydd pleser roedd hi o hyd; yn ferch benderfynol, yn wyllt ac yn gaeth i hwyl a doedd ei misdimanars allgyrsiol yn effeithio dim ar ei bywyd academaidd. Roedd ei meddwl a'i chorff yn chwim, ei chof yn anhygoel a chanddi ddychymyg byw, ym mhob ystyr. Roedd hi'n llyncu llyfre, bob amser â'i thrwyn mewn llyfr, ac academia yn dod yn rhwydd iddi – roedd hi'n dipyn o ysgolhaig.

Byddwn i'n trio ei hosgoi hi'n fwriadol, ac yn mynd i gwato yng Nghymru neu yn Llydaw, ond bydde hi bob amser yn llwyddo i ddod o hyd i fi. Roedd hyn yn dân ar fy nghroen i ond, ar yr un pryd, yn bluen yng nghap dyn canol oed. Gallai Suzi fod wedi gwneud gwaith ffantastig i MI6! Yn amal byddai'n rhoi sioc i bawb trwy gyrraedd rhyw le dirgel a diarffordd gefen nos heb fag, heb arian a heb ddillad ond y rhai oedd amdani. Un tro, ro'n i'n aros mewn cuddfan ETA (cenedlaetholwyr Gwlad y Basg) rywle yn Llydaw a dyma *hi'n* dangos ei phig! "Ges i dipyn o job dod o hyd i ti," cyfaddefodd. Roedd hi'n fwy craff nag asiantaethe cudd Ffrainc a Sbaen gyda'i gilydd! Yn ddiarwybod i mi ar y pryd, roedd y bois ro'n i'n aros gyda nhw newydd chwythu cadfridog o fyddin Sbaen i fyny y tu

Suzi a fi, Llydaw, 1982/3

allan i eglwys gadeiriol Madrid – fel rhyw olygfa o *The Long Good Friday*. Roedd y bois hyn yn ddigon i godi gwallt 'y mhen i; do'n nhw ddim yn bobol i whare obutu â nhw ond ro'n nhw i gyd yn meddwl y byd o Suzi. Gallen nhw fod wedi'i lladd hi, a doedd ganddi hi ddim llefeleth o'r peryg. Ond un fel'ny oedd hi.

Rhaid i mi ddweud hyn yn syth: doedd gen i ddim byd erioed i'w wneud â chyrff fel ETA. Digwydd bod yn aros gyda hen ffrind ro'n i, mewn pentre diarffordd yn Llydaw lle roedd gan ETA guddfan. Ond mwy am Suzi maes o law.

PENNOD 4
Sgrech

Yn haf 1978 cyhoeddodd un o raddedigion Coleg Prifysgol Bangor, Glyn Tomos, gylchgrawn roc, pop a gwerin Cymraeg o'r enw *Sgrech*. Gyda chymorth Arwel Jones, troellwr lleol, cynhyrchodd bum rhifyn, dim ond y ddau ohonyn nhw a theipiadur – doedd dim cyfrifiaduron yn y dyddie 'ny! Daeth y cylchgrawn yn boblogaidd iawn a chyrhaeddodd y cylchrediad tua dwy fil a hanner o gopïe – tipyn o strôc i gylchgrawn Cymraeg.

Flwyddyn yn ddiweddarach penderfynodd y ddau redeg pôl piniwn roc, pop a gwerin yn y cylchgrawn ac o ganlyniad i'r ymateb, cafwyd cyngerdd gwobre'r pôl piniwn yn Theatr Seilo, Caernarfon. Cafodd cryse-T eu gwneud yn arbennig, a chyhoeddwyd posteri o grwpie ac artistiaid, bathodynne hefyd, talodd busnese lleol am le hysbysebu ac roedd *Sgrech* yn llwyddo. Roedd lle i dri chant yn Theatr Seilo ond ni chymerodd HTV na'r BBC y nesa peth i ddim sylw.

Yn ddiweddarach dyma benderfynu lansio Sesiwn *Sgrech* yn yr Eisteddfod Genedlaethol. Digwyddiad trwy'r dydd oedd gìg *Sgrech* yn yr Eisteddfod, yn cychwyn am hanner dydd ac yn gorffen am hanner nos. Roedd pobol yn ciwio am docynne am ddeng munud wedi naw y bore a'r cyfrynge unweth 'to heb bripsyn o ddiddordeb. Roedd Glyn Tom wedi disgwyl i'r sianeli teledu fachu ar gyfle fel hyn i boblogeiddio cerddoriaeth fodern oedd yn tyfu'n glou yn y Gymru Gymraeg ond fynnen nhw ddim llyncu'r abwyd, ac medde Glyn wrthyn nhw, "Os na newch chi ddim byd yn ei gylch o, mi wna i".

Beth bynnag, ffilmiodd un o sioeau HTV, *Seren 2*, bytiau o sioe '79 ond roedd hynny'n druenus o bitw. Erbyn 1980 llwyddodd y BBC i recordio cryn dipyn o'r gìg a darlledwyd rhai o'r recordiade 'ny ar Radio Cymru. Y flwyddyn wedyn, yn '81, cafwyd cam mawr mlân pan ddaeth hen ffrind i mi, Gareth Wyn Jones, a fu'n gyfarwyddwr staff BBC Cymru (materion gwleidyddol a chyfoes), i sefyll yn y bwlch. Erbyn hyn roedd e wedi sefydlu ei gwmni cynhyrchu annibynnol ei hunan, Ffilmiau Tŷ Gwyn, gyda'i wraig Enid oedd yn gynorthwywr darlledu profiadol gyda'r BBC.

Roedd gìg gwobre *Sgrech* bellach wedi symud i hen bafiliwn yr Eisteddfod Genedlaethol yng Nghorwen ger Llangollen. Yn y dyddie 'ny bydde'r Eisteddfod bob amser yn codi pafiliwn mawr i'r prif gystadlaethau a seremonïau Gorsedd y Beirdd ac yn ei adael ar ei draed wedyn at ddefnydd y bobol leol. Mae ambell un ar ôl hyd heddi.

Penderfynodd Gareth Wyn Jones logi uned recordio sain symudol o Lunden gan feddwl cynhyrchu albwm o'r perfformiade gore. 'Mobile One' oedd enw'r uned recordio a gwnaed prif dâp y recordiade yn Recordiau Sain ger Caernarfon. Gŵr ifanc o'r enw Simon Tassano, a aeth yn ei flân i fod yn beiriannydd sain, a Richard Thompson a gymysgodd albwm *Sgrech*. Gwerthwyd pob copi o'r albwm. Yn ddiweddarach, cyhoeddwyd llyfr Nadolig ac roedd mynd mawr ar hwnnw hefyd.

Dwi'n cofio *Sgrech* am reswm gwahanol, gan i mi gipio'r wobr am y Canwr Gorau am bedair blynedd yn olynol hyd nes iddyn nhw roi'r gore i gyhoeddi – a hynny am fod Glyn Tom wedi symud mlân, wedi cael llond bol ar ddygnu arni a tharo'i ben yn erbyn wal anwybodus a di-ildio'r cyfrynge. Dylsen nhw fod wedi buddsoddi mwy o sylw ac arian ym myd cerddoriaeth fodern Cymru, sydd yn dal mewn cyflwr truenus hyd yn oed heddi. Mae peth cerddoriaeth Gymraeg fodern yn dda iawn, mae'r dechnoleg wedi symud mlân yn aruthrol, ac agwedd y bandie a'r perfformwyr hefyd. Does dim byd yn y gwledydd Celtaidd eraill yn agos at ragoriaeth roc Cymru. Does gan y Llydawyr, yr Albanwyr, y Gwyddelod na'r Basgiaid ddim byd tebyg iddo. Yn Saesneg mae'r Albanwyr a'r Gwyddelod yn canu gan mwya, ac mae'r sîn yn wan yn Llydaw, ac er bod y Llydawyr yn canu yn eu mamiaith maen nhw'n dibynnu gormod ar eu gwreiddie gwerin, ac ychydig o fandie roc mawr fu yn Llydaw erioed. Mae EV, falle, a'r bardd bitnic, fy ffrind Bernez Tangi, yn eithriade. Hefyd Patrice Marzin sydd, gellid dadlau, yn un o'r tri gitarydd gore yn Ffrainc. Ond fu ganddyn nhw erioed fand roc llwyddiannus fel y Cadillacs, Edward H Dafis, Omega, Geraint Jarman a'r Cynganeddwyr, Maffia Mr Huws, Rhiannon Tomos, Hergest, band Caryl Parry Jones, Jîp, Eliffant, Sibrydion, Ail Symudiad – mae'r rhestr yn un hir. Ac nid oherwydd prinder cerddorion – mae gan y Llydawyr gerddorion anhygoel, yn enwedig sacsoffonwyr, canwyr gitâr a gitâr fas a llond gwlad o ddrymwyr gwych, ond canwyr a chyfansoddwyr caneuon modern, nac oes! Maen nhw ar eu ffordd ond yn dal ymhell ar ei hôl hi a bydd angen brwdfrydedd a dychymyg di-ben-draw a gwaith caled iawn i wella'r sefyllfa. Unweth 'to, 'run fath ag yng Nghymru, mae rhyw wacter annaearol yn y byd cerddoriaeth fodern a diffyg cefnogaeth yn druenus. Mae'r core meibion ystrydebol a'r byd opera, sy'n graig o arian, yn boblogaidd; mae mynd mawr arnyn nhw ac maen nhw'n fawr eu parch a'u nawdd, ond am unrhyw fath o gerddoriaeth fodern, yn arbennig roc – na! Oni bai am nawdd i opera yng Nghymru fydde dim gobaith iddi. Yn ôl pob golwg mae canu a dawnsio gwerin yn cael eu hystyried yn rhyw adloniant bach i dwristiaid, rhywbeth hen-ffasiwn a swynol sy'n gaffaeliad i'r Byrdde Croeso. Ond beth am y bobol ifanc dlawd? Oes raid iddyn nhw ddiodde'r crap Eingl-Americanaidd sy'n cael ei ddarlledu o bob gorsaf radio a jiwcbocs yn y wlad? Pam na ellir rhoi trefen ar gerddoriaeth roc Gymraeg ac, os oes angen, ei noddi i'w gwella, ei gwerthu dramor fel cerddoriaeth y byd ac, yn bwysicach fyth, ei chymryd o ddifri? Mae popeth yno yn barod, dim ond sylw a hyrwyddo gan bobol ddeallus a brwdfrydig sydd ei angen, 'na i gyd. Ac yn ola, mae angen fersiwn newydd, ffres a mwy proffesiynol o *Sgrech* cyn gynted â phosib. Daliwch i ddarllen!

Y blaidd yn y Ray-Bans glas

(llun: Gerallt Llewelyn)

Canwr Gorau Noson Wobrwyo *Sgrech*

(llun: Gerallt Llewelyn)

Glyn Tomos, sylfaenydd *Sgrech*

(llun: Gerallt Llewelyn)

Gìg gwobrwyo *Sgrech*

(llun: Gerallt Llewelyn)

PENNOD 5
Geni band

BYDDWN I'N TREULIO llawer o amser yn yfed mewn barre myfyrwyr ym Mangor Ucha – y Glôb lle bydde'r myfyrwyr o Gymru yn yfed, y Menai Vaults lle bydde pawb yn yfed, a'r Belle Vue, cynefin y myfyrwyr o Loegr. Mae Bangor yn denu myfyrwyr o bedwar ban byd am ei bod ar lan y môr, fel Aberystwyth, ac yn agos at Barc Cenedlaethol Eryri. Mae Aberystwyth hefyd yn 'dref bentrefol', tre farchnad ar lannau hardd Bae Ceredigion ynghanol brynie gwyrdd a ffermydd mynydd.

Mewn bwthyn bach ar bwys y coleg ro'n i'n aros, yn Sgwâr y Fron, lle roedd Carys Parc a'i chwaer Sioned yn byw gyda'u ffrindie Mari Llwyd a Rhian Eleri. Roedd tair ohonyn nhw'n fyfyrwyr yng Ngholeg Prifysgol Bangor ac ro'n nhw'n fodlon fy ngodde i'n cysgu ar y soffa, chware teg. Roedd rhyddid 'da fi; ro'n i ar daith rhan fwya o'r amser, ac yn gwneud ambell gìg neu raglen deledu. Roedd Carys a finne'n ffrindie mawr ac yn treulio llawer o amser gyda'n gilydd. Ambell waith byddai'n rhoi lifft i mi i gigs yn ne Cymru. Roedd Betty fy mam yn hoff iawn o Carys; a gweud y gwir, roedd pawb yn meddwl y byd ohoni a hithau'n ferch annwyl, gymdeithasgar iawn. Mae hi erbyn hyn yn byw gyda'i gŵr Gwynfor a'u plant ym Methesda.

Roedd y merched yn Sgwâr y Fron i gyd yn genedlaetholwyr gweithgar, yn aelode o Blaid Cymru a Chymdeithas yr Iaith, yn bwrw'r Sul yn peintio arwyddion ffyrdd yn wyrdd os nad o'n nhw yn Gymraeg. Eu barn nhw oedd y dyle'r arwyddion fod yn ddwyieithog. Yn ddiweddarach, mabwysiadodd cenedlaetholwyr Llydaw'r un strategaeth, gan fod ganddyn nhw'r un broblem. Ers blynydde, llygrwyd enwe llefydd Cymraeg drwy eu camsillafu neu eu newid yn gyfan gwbwl yn enwe Saesneg newydd, a'r peryg oedd y bydde'r enwe Cymraeg gwreiddiol yn cael eu colli. Doedd hyn ddim yn dderbyniol gan y cenedlaetholwyr, felly lansiodd Cymdeithas yr Iaith ymgyrch peintio arwyddion ffyrdd Saesneg ac ar flaen y gad roedd y canwr Dafydd Iwan a'i ffrind Ffred Ffransis, oedd yn briod ag un o ferched Llywydd Plaid Cymru, yr Aelod Seneddol Gwynfor Evans. Ymhen hir a hwyr llwyddodd yr ymgyrch 'ma'n llwyr yng Nghymru, gan orfodi'r llywodraeth i ildio ac erbyn heddi mae'r arwyddion ffyrdd yng Nghymru i gyd yn ddwyieithog; digwyddodd yr un peth yn ddiweddarach yn Llydaw.

Ro'n i'n hongian obutu Bangor Ucha am fod Gwenllian yn byw yno, gan obeithio y byddai'n hanner madde i fi ac y gallen ni ailgydio yn ein perthynas. Bydden ni'n gweld ein gilydd yn amal ac roedd hynny'n fonws i fi; roedd bod yn agos iddi yn deimlad braf ac yn fy ngwneud i'n hapus. Ond ro'n i'n hala gormod o amser a hala gormod o arian yn yfed, yn gwastraffu amser yn meddwi. Cyfnod negyddol iawn, am wn i.

Un noson ro'n i yn y Menai Vaults a dyma ddau grwtyn tal yn dechre sgwrs â fi. Ro'n i'n eu lled-adnabod: ro'n nhw'n canu'r gitâr fas a'r drymie ym mand Rhiannon Tomos. Brodor o Nefyn ar Benrhyn Llŷn oedd y gitarydd bas, Mark Jones, wedi chware gyda sawl band roc yng Nghymru, a'r boi arall, Mark Williams, yn hanu o Landudno ac wedi bod yn brif drwmpedwr yng Ngherddorfa Genedlaethol Ieuenctid Cymru.

Band roc trwm oedd band Rhiannon Tomos. Un o raddedigion Drama Coleg Prifysgol Bangor oedd hi, ac un o ffans penna Janis Joplin. Roedd Rhiannon wedi ffurfio band o gerddorion o ogledd Cymru ac wedi cyfieithu rhai o ganeuon Janis i'r Gymraeg. Roedd y pethe ifanc yn dwlu ar ei sioe, ei dillad ymfflamychol a'r boteled o frandi Courvoisier y byddai'n cymryd llwnc ohoni rhwng caneuon. Tua phum troedfedd o daldra oedd Rhiannon a chanddi wallt du hir, gwyllt a golwg sipsi Romani arni. Roedd hi'n byw ar stad breifat y tu allan i Gaernarfon yn nhŷ ei diweddar rieni ac roedd y tŷ erbyn hyn yn dŷ roc lle bydde'r band yn ymarfer, yn partïo ac yn cysgu. Roedd Mark, y gitarydd bas, ei chariad, hefyd yn byw yno. Roedd mynd mawr ar fand Rhiannon; ro'n nhw'n gwneud llond gwlad o gigs a rhaglenni teledu o gwmpas Cymru. Roedd Al Harris, y dringwr gwallgo, a'i grônis yn Neiniolen a Llanbêr hefyd yn meddwl ei bod hi'n grêt, ac yn dilyn ei gigs hi'n rheolaidd.

Erbyn deall, roedd y ddau gerddor ro'n i yn eu cwmni nhw yn y dafarn yn ffans mawr o 'ngherddoriaeth i ac, er mawr syndod i fi, awgrymon nhw y dylwn i ffurfio band, ac ro'n nhw'n cynnig eu hunain. Ar ôl sawl peint arall, dwedais y gallwn roi cynnig arni. Wyth mlynedd ar hugain, agos i naw mlynedd ar hugain wedyn, ac r'yn ni'n dal i chware gyda'n gilydd, er bod sawl newid wedi bod dros y blynydde – yn 2012 bydd y band yn dri deg oed a finne'n saith deg! Mae'n debyg mai'n band ni ydi'r band mwya hirhoedlog yng Nghymru. Mae Mynediad am Ddim yn honni taw nhw yw'r band hynaf yng Nghymru. Wrth eu golwg nhw, gallech chi feddwl 'ny! Ond beth yw'r ots *anyway*? Mae Man, y rocyrs asid o ardal Llanelli, yn hŷn ond mae un o'u canwyr gitâr, Micky Jones, wedi marw'n ddiweddar.

A sôn am gerddorion sydd wedi marw, hoffwn sôn am ambell enw er cof, o barch os mynnwch chi: y canwr gitâr roc mawr Mickey Gee a chwaraeodd gyda'r mawrion – Chuck Berry, Carl Perkins, Tom Jones – wedi mynd yn ei chwedege; Frankie Johnson, o glefyd Alzheimer; Victor Parker, clefyd yr iau; Tich Gwilym, mygu mewn tân yn ei dŷ; Ray Norman, gitâr jazz, y lysh; Andy Maule, llawdriniaeth pancreas aeth o chwith; Bernard Harding, chwip o ganwr piano jazz a phoen yn y pen-ôl, a dorrodd ei wddw ar ôl syrthio i lawr y grisie yn feddw; Johnny Tyler, drymie, o ganser; Siwsann George, cantores werin, canser; Johnny Silva, bas a feibs, trawiad ar y galon; Dave Edwards, Splott, gitarydd bas, canser; Clive 'Moose' Williams a roddodd fy ngwersi gitâr cynta i mi pan oedd ar ei wyliau yn Solfach, damwain car yn Seland Newydd; Austin Davies, pianydd jazz disglair; Trevor Ford, bloeddiwr y felan, ateb Casnewydd i Jimmy Witherspoon ac i Big Joe Williams, a fu farw yn Zambia, a harîm o wragedd a byddin o blant yn galaru amdano; Ian Samwell, fy hen gynhyrchydd yn Warner Bros, a sgrifennodd 'Move It', yr hit roc a rôl cynta yn Lloegr; Long John Baldry, a'm cyflwynodd i i'r sîn jazz a'r felan yn Llunden ar ddiwedd y pumdege; Alex Campbell, gŵr Peggy Seeger, a'm rhoddodd i ar y sîn werin ar ddiwedd y pumdege; ei fêt Derroll Adams, dyn banjo mawr unigryw; Benny Litchfield, pianydd a threfnydd cerddoriaeth i Adran Adloniant Ysgafn y BBC yng Nghymru, a fu farw o henaint yn Sbaen; Ronnie Williams, digrifwr a diddanwr, hunanladdiad; Ryan Davies, diddanwr amryddawn a cherddor, pwl difrifol o asthma yn Efrog Newydd; Trevor Crozier, canwr gwerin, damwain moto-beic yn Mali, Affrica; a'r annwyl Gary Farr, mab y bocsiwr pwyse trwm Tommy, sleifar o ganwr, cyfansoddwr a gitarydd a fu farw yn ei gwsg yng Nghalifformia o drawiad ar y galon a llawer mwy. Henffych well i bob un, cofion cynnes a dwi'n gweld eich isie chi i gyd yn uffernol!

Yn ôl at fy mand i, a aeth yn ei flân i recordio sawl albwm gyda fi a cherddorion eraill a herwgipiwyd at y diben. Y Brodyr Marx, fel dwi'n eu galw nhw, yw'r adran rythm ar fy record Saesneg a ryddhawyd ddiwedd Mai 2010 – albwm o'r enw *Love Songs* y buon ni wrthi'n ei wneud ers pedair blynedd, tair cân ar ddeg heb eu recordio yn Saesneg o'r blân a sgrifennwyd rhwng 1957 a 2009.

Allwn i fynd mlân am byth yn adrodd straeon am yr anturiaethe ar daith, yn enwedig yn Llydaw, lle bydden ni'n arfer chware deg gìg bob pythefnos o hen siandri o fan heb *roadies* na gyrwyr na dime o help gan Gyngor Celfyddydau Cymru na neb arall am osod y cynsail pwysica un, sef cyflwyno cerddoriaeth fodern Cymru i Lydaw a Ffrainc. Ni oedd y cynta a'r gore, a'r Llydawyr yn gwirioni, yn chware mewn barre bach a gwylie anferth ym mhob man dros y blynydde a chael y gair yn y wasg unweth o fod 'y band roc gorau a glywyd yn Ffrainc erioed'. Nid y Cadillacs, a deithiodd yno gyda mi hefyd, ond y Brodyr Marx

Clawr albwm *Gitâr yn y Twll dan Stâr*

Gyda'r Brodyr Marx, 2009

(llun: Gerallt Llewelyn)

– Jones a Williams – a Meredydd Morris o Fangor ar y gitâr flaen. Dyma'r band sydd ar albwm Sain *Gitâr yn y Twll Dan Stâr*. Dwi erioed wedi gorfod gofyn am gigs, ond os ydych chi isie'n gwasanaeth ni, ffoniwch 07791 674266! R'yn ni hyd yn oed yn neud priodase a *wakes*! Felly beth am fynd dros ben llestri ym mhriodas eich annwyl fab neu ferch? Neu angladd Wyddelig ei naws – am bris rhad, mae gostyngiad i'r meirw!

PENNOD 6
Lapis Lazuli

CES WAHODDIAD I ganu yn y Ffindir gan ffrind, Glyn Banks, mab Iona Banks yr actores enwog. Actor oedd Glyn hefyd ac yn Athro Saesneg ym Mhrifysgol Helsinki. Trefnodd Glyn sesiwn recordio ar radio'r Ffindir, cyngerdd yn y brifysgol a gigs yn y Lapdir na wnes i yn y diwedd gan fod y tywydd mawr wedi rhoi stop ar unrhyw deithio: Mawrth 1982 oedd hi, a'r gaea gwaetha ers hanner can mlynedd! Yn New Cross, Llunden, ro'n i'n byw ar y pryd, mewn fflat fach gyda Suzi. Ddaeth Suzi ddim; roedd hi'n sefyll ei harholiadau gradd ac yn gorfod gweithio.

Hwyliais o Harwich ar fordaith nos i Gothenburg, a rhannu caban â phencampwr motorbeicio o Sweden. Roedd e wedi ymddeol, a'i fusnes bellach oedd prynu a gwerthu ceir clasurol Prydeinig – Bentleys, Jags, MGs. Roedd ganddo fe hen Jag MK10 ar dreilar ar y llong a chynigiodd bàs i Stockholm i mi, a derbyniais ei gynnig gyda diolch. Roedd rhaid i ni groesi Sweden y noson honno o'r naill lan i'r llall a dyma gyrraedd y Centrum tua phedwar o'r gloch y bore. Roedd y Centrum, gorsaf reilffordd fawr, ar glo dros nos ond roedd caffi a thŷ bwyta bach gerllaw oedd ar agor drwy'r nos.

Ro'n i wedi cyfarfod â gitarydd arall ar y llong, Sais oedd yn briod â merch o Sweden. Bysgwr oedd e ac, ar yr adeg 'ny, roedd Cyngor Celfyddydau Sweden yn noddi difyrwyr stryd. Ond ges i siom pan gwrddais i â Julie Felix, cantores enwog o America. Ro'n i wedi cwrdd â hi yn Llunden flynydde ynghynt. I mewn i'r caffi â ni, mas o'r oerfel. Roedd hi'n ddeugain gradd o dan y rhewbwynt ac roedd hi'n anodd anadlu.

Diogi yn y caffi y buon ni nes i'r Centrum agor, wedyn mynd ar drên i'r lle roedd y bysgwr yn byw yng ngogledd y ddinas. Roedd eira dwfwn ym mhob man. I'r gwely amdani wedyn, wedi blino'n lân, a thrannoeth buon ni'n jamio ar y gitâr. Am chwech o'r gloch yr hwyr roedd fy llong i fod i hwylio ac roedd digon o amser i'w ladd, felly es i weld hen ffrind oedd yn byw yn Stockholm – Robin Grace o'r Barri. Roedd Robin wedi bod yn bysgo ar hyd a lled Ewrop gyda'i fêts – Wally Sosban Jones, canwr banjo pum tant gwych o Lanelli, Mike Bradon a James Angove. The Rambling Rakes ro'n nhw'n eu galw'u hunain. A dyna'n union beth o'n nhw. Ro'n i'n eu nabod nhw ers yr hen ddyddie yn The Moulders yng Nghaerdydd, Portobello Road, Llunden, a St Michel, Paris. Ro'n nhw yno ar yr un pryd â Jack Elliot, Alex Campbell, Richard a Mimi Fariña a bitnics eraill oedd â chwant dilyn llwybr y trwbadŵr. Cwrddais â Robin am ddiod braf yn y prynhawn a rhoddodd bàs i mi i borthladd y fferi.

Roedd Môr y Baltig wedi rhewi y flwyddyn honno ond mae llonge fferi Silja Line wedi'u hadeiladu â thrwyne torri rhew ac yn gallu torri rhigol yr holl ffordd i Rwsia a'r gwledydd Baltig. Y llong hon oedd y fwya moethus o bell ffordd i fi hwylio arni erioed. Roedd y cabane wedi'u dodrefnu'n hardd a gwelye iawn ynddyn nhw, nid byncs, a'r brif stafell fwyta a'r bar yn well na gwesty'r Savoy yn Llunden, yn wydr lliw i gyd, siandelïers crisial, a'r weitars ac aelode eraill y criw i gyd yn eu dillad ffurfiol, fel y rhan fwya o'r teithwyr hefyd. Ro'n i'n teimlo braidd yn lletwith mewn siwt Levi a bŵts cowboi! Roedd *saunas*, pyllau nofio, sinema a sioe cabaret wych hefyd.

Ro'n i'n darllen llyfr am y Beatles ar y pryd ac mae'n siŵr ei fod wedi f'ysbrydoli i, oherwydd ar y daith hon crisialodd albwm cyfan o ganeuon newydd. Dyna sut fydda i'n gweithio; mae gen i bob amser alawon a syniade am eiriau'n mynd trwy 'mhen. Mae rhai'n ffurfio'n glou iawn ac fel petaen nhw'n dod i glawr glatsh. Weithie, dim ond gwaith chwarter awr yw nodi cân ar bapur. Ymhlith y caneuon hyn mae 'Tryweryn', 'Erwan', 'Bobby Sands', 'Douarnenez', 'Oxblood', 'Y Brawd Houdini'. Dwi ddim yn deall yn iawn sut mae hyn yn digwydd ond dwi'n falch ar y diawl ei fod e. Beth bynnag, sgrifennais albwm cyfan ar y fordaith honno, ar fy nhraed drwy'r nos yn sgriblan yn ddi-stop.

Ges i'r profiad anhygoel o weld yr haul yn codi dros orwel Rwsia, a phelydrau rhyfedd o ole'n fflachio, wedi'u hadlewyrchu am filltiroedd ar draws ehangder rhewllyd y Baltig oedd yn dalp o iâ. Doedd e ddim bellach yn fôr ond yn gae anferth o rew oedd fel petai'n dyrnu ac yn curo gan belydrau gwaetgoch y wawr. Weles i erioed mo'r fath las a meddyliais am y garreg lapis lazuli – a ddaeth yn deitl yr albwm. Mae'r gân yn cynnwys rhythm y llong wrth iddi hwylio rhwng ynysoedd bach du yn gaeth yn y rhew. Roedd cychod pysgota bach bob hyn a hyn, wedi'u gadael yn wag pan ddaeth y rhew mawr. Roedd yr olygfa'n anhygoel wrth i'r llong fawr droi tua phorthladd Helsinki, ond roedd hi'n oer, oer, oer ac ymhell, bell, bell o un man fues i o'r blân.

Arhosais mewn fflat ar gyrion Helsinki am bythefnos. Ychydig oedd i'w wneud gan fod y tywydd yn teyrnasu ac wedi dod â'r wlad i stop. Roedd gwyntoedd main, milain a rhew ym mhob man yn gwneud cerdded ar hyd y strydoedd yn beryg bywyd. Ond cafodd y gerddoriaeth groeso cynnes a des i o hyd i un bar cyfeillgar yn ymyl y senedd-dy o'r enw Bar St Uhuru ac roedd cerddoriaeth jazz fyw yn cael ei chware yno. Chwaraeais gydag ambell gerddor lleol a chyfarfod ffotograffydd lleol a dynnodd y llun ohona i sydd ar glawr yr albwm. Dwi'n edrych mor oer yn y llun, ro'n i'n crynu oherwydd y rhew, yr eira a'r fodca!

Ar y daith yn ôl gorffennais y caneuon, eu twtio nhw i gyd ac o'r diwedd cyrraedd yn ôl i'r hen New Cross. Dyna siglad ges i – dim golwg o Suzi, a'r drws ar glo. Ymhen hir a hwyr ymddangosodd hi a gwyddwn fod pethe wedi newid. Roedd hi wedi bod yn gweithio ar gynhyrchiad o *The Cherry Orchard* gan Chekhov ac roedd wedi syrthio mewn cariad â'r prif actor a fedyddiais i'n Iesu Grist, oherwydd ei wallt hir a'i fwng. Roedd yn dda gen i glywed 'ny, mewn ffordd, oherwydd roedd gen i reswm nawr i'w gwadnu hi'n ôl at fy odrwydd fy hunan. Ei throi hi am Gymru wnes i ar fy mhen fy hun ond yna ffoniodd Suzi i ddweud ei bod yn disgwyl fy mhlentyn i! Oherwydd 'ny, es i ddim yn bell, a symudodd hi i Friern Barnet yng ngogledd Llunden, i rannu fflat rhyw foi roedd hi'n nabod o Fangor.

Wedi iddi raddio, penderfynodd y ddau ohonon ni barhau'r berthynas a rhentais fwthyn ar lethr y rhiw ym mhentre Llithfaen yn Llŷn. Lle anghyfannedd yw e, yn enwedig gefen gaea. Ar ben hynny digwyddodd trychineb niwclear Chernobyl – syndrom Tsieina fel mae'n cael ei alw weithie – ac roedd cwmwl niwclear dros ogledd Cymru! Ar yr un adeg, bu farw un o fy ffrindie gore yn Llydaw, Erwan Kervella, o ganlyniad i ddamwain car. Felly, yn ddiweddarach, pan aned y babi rhoesom Erwan yn enw arno a thua'r un adeg drist y sgrifennais y gân.

Roedd hi'n gyfnod digon oer i rewi brain. Yn y diwedd buon ni'n byw mewn un stafell gyda thân trydan dau far a phentyrre o flancedi gwlân. Ond roedd Suzi wedi newid; doedd hi ddim yn fy ngharu i bellach. Roedd y teimlade fu ganddi wedi mynd a daeth yr amser i ffarwelio a mynd ein ffordd ein hunain. Siom, siom, siom! Mas o 'ma'n glou!

Doedd *Lapis Lazuli* heb eto ei recordio pan adawon ni'r bwthyn yn Llithfaen – Suzi i dŷ ym Methesda roedd ei thad wedi'i brynu iddi ar yr amod ei bod yn fy ngadael i a mod i'n cael fy ngwahardd o'r tŷ. Derbyniodd Suzi delerau ei thad.

Neilltuais amser stiwdio yn Recordiau Sain ger Caernarfon a hurio'r Cadillacs – band y gellid dadle eu bod y band gore yng Nghymru bryd 'ny. Yn y bôn, cyn-aelode o The Sensational Alex Harvey Band oedden nhw. Bu farw Alex ddwy flynedd ynghynt, ym mreichie Graham Williams, y gitarydd o'r Rhondda. Flynydde ynghynt bu Alex a fi'n chware gyda'n gilydd mewn clwb nos yn Leicester Square yn Llunden. Roedd Alex yn arwain band y sioe *Hair* ar y pryd. Gadawodd ei hen Gibson J-45 o gyfnod diwedd y pumdege i Graham ac mae ganddo fe hyd heddi. Dyna'r gitâr a ddefnyddiais yn 1985 ar *Lapis Lazuli*; y band oedd Pete Hurley, gitâr fas, Mark Williams ar y drymie, Graham Williams, gitâr flaen, a Tony

Lambert ar yr allweddelle. Roedd Tony yn chware ym mand Bonnie Tyler ers peth amser, ac roedd Pete Hurley wedi treulio tair blynedd gyda Van Morrison ychydig flynydde ar ôl 'ny.

Aeth y sesiyne'n ffantastig. Symudon ni i gyd i dŷ Jane Roberts ym Morfa Nefyn, lle bydden ni'n jamio drwy'r nos, bob nos, a recordio yn ystod y dydd. Roedd hwn yn gyfnod hapus a chreadigol iawn sy'n cael ei adlewyrchu yn sŵn yr albwm.

Ar feinyl yn unig y cafodd yr albwm ei ryddhau ac er gwarth i Sain ni chafodd erioed ei ryddhau ar CD. Roedd pob un dim am y record 'ma wedi dod o'r galon ac yn cyd-ddigwydd ar un trac, 'Hoffi Dai'. Wal wenithfaen y stiwdio oedd offer taro Mark Williams. Mae llun o'r band ar y clawr cefen yn dangos y doniolwch a'r dwyster. Tynnwyd y llun y tu allan i westy'r Goat, Llanwnda, ac mae pawb yn piso

Pam mae pawb yn chwerthin?!

(llun: Gerallt Llewelyn)

chwerthin oherwydd wrth i'r tynnwr lluniau, Gerallt Llewelyn, bwyso'r botwm fe dares i rech fawr swnllyd! Byddwn wrth fy modd yn ailgymysgu'r albwm yma'n ddigidol ond fe'i recordiwyd ar hen beiriant dwy fodfedd, 32-trac, sy'n dal yn y stiwdio ond ddim yn gweithio. Mae *Lapis Lazuli* yn un o f'albyms gore. Mae'r miwsig mor fywiog. Daeth Suzi draw i'r Morfa ac roedd yn y stiwdio'r rhan fwya o'r amser ro'n ni wrthi'n recordio. Mae 'Suzi'n Galw' yn un o'r caneuon sgrifennais iddi, fel jôc. Roedd hi'n berthynas ryfedd ond cynhyrfus iawn.

Roedd sesiyne'r Cadillacs (*Lapis Lazuli*) yn bleser pur, yn union beth roedd Lynn Phillips wedi'i addo i mi – "Y ffycin band roc gorau yng Nghymru a llawer o lefydd eraill." Bechod bod fy ymdrechion cerddorol ecsentrig i braidd yn od a gwyddwn mai drwy hap a damwain y bydde pobol yn gallu cydymffurfio â ni. Ac eto, ychydig o ddiddordeb sydd gan bobol eraill (ar wahân i'r *gossips*) yn ei gilydd. Yr unig beth am sesiyne recordio *Lapis Lazuli* yn Stiwdio Sain sy'n edifar gen i yw i Jane Roberts (gwraig y tŷ lojin) a'i chariad tuag at Tony Lambert chwalu fy mherthynas i a Suzi; a'r ffaith nad oedd 'Alice' (Ray Ennis) yn chware 'da ni. Mae Ennis yn un o'r cerddorion mwya cynnil dwi wedi chware gyda nhw erioed ac mae rhan o'r cynildeb yn deillio o'r athroniaeth fod llai yn gallu bod yn fwy. Gallwn ddweud mwy am Jane Roberts hefyd ond taw piau hi; dwi'n ei charu ormod! Llongwr oedd fy nhad, James Alexander Erskine, a'i thad hithau'n un o gapteiniaid ieuenga'r llynges fasnachol yn yr Ail Ryfel Byd. Hwyliodd y ddau gyda'i gilydd ar y cychod *San*. Llongau Americanaidd oedd y rheini, wedi'u hadeiladu ar frys i gludo nwydde a bwyd i

Brydain dan warchae ar ddechre'r pedwardege. Daeth tad Jane, yn ei ugeinie, drwyddi ond nid yn hollol iach. Dwi ddim yn credu i un o'r criwie 'ny ddianc heb gael eu hanafu. Bu farw fy nhad a thri ar ddeg o griw'r *Adellan*, ei long ola, yn ysglyfaeth i un o longe tanfor y Natsïaid ger Nova Scotia.

Arwyr di-glod oedd y masnachlongwyr, na chawsom nhw'r parch na'r gydnabyddiaeth oedd yn ddyledus iddyn nhw. Na'u gwragedd na'u plant chwaith, a'r pensiyne bron yn ddim. Does dim cofgolofne wedi'u codi ar ôl y rhyfel i goffáu'r masnachlongwyr, er eu bod nhw yn union yr un peryg â phawb arall oedd yn brwydro. Rhyfedd, on'd yw e?

PENNOD 7
Dal i gredu

FEL'NA MAE HI, mae bywyd yn mynd yn ei flân a finne mewn gwynfyd bitnic dedwydd yn becso dam, yn trio osgoi probleme bywyd; roedd hi'n haws rhedeg o gwmpas yn glyd, yn gwcwallt ac yn rhydd. Roedd cerddoriaeth yn sgrin rhyngdda i (beth bynnag mae 'fi' yn ei olygu) a realaeth (beth bynnag yw hwnnw). Fel sgrifennodd Bob Dylan unweth, 'I'll let you be in my dreams if I can be in yours.'

Am flynydde ro'n i ar ben fy hunan, yn teimlo'n unig hyd yn oed pan o'n i ynghanol pobol, hyd yn oed pan o'n i'n cerddora gyda cherddorion eraill, hyd yn oed pan o'n i'n caru gyda merch. Cawdel rhyfedd o'n i, o amgylchiade mwy rhyfedd fyth. Byddwn i'n meddwi gyda dieithriaid, yn byw mewn llefydd diarffordd yn y cysgodion, yn swil a dihyder. Roedd byd cerddoriaeth Cymru ganol y chwedege yn fy siwtio i'r dim – heb ddod i oed ar y pryd ond ar ei brifiant, yn beth amatur gwerinol heb fod yn gystadleuol, yn ddidaro, dim un morgi yn y golwg, y traethe fel pin mewn papur, yn gysegredig hyd yn oed. Roedd pornograffwyr, *perverts* a thwyllwyr yn bethe prin, a'r tafarne ar gau ar y Sul – y dryse ffrynt, beth bynnag.

Roedd Suzi wedi mynd, ond wedi dod yn ôl i'r sesiyne *Lapis Lazuli* ac aros gyda fi yn nhŷ Jane ym

Morfa Nefyn. Roedd hi yn y cyfnod pan oedd hi'n disgwyl babi. Mae golwg harddach fyth ar ferched pan fyddan nhw'n magu mân esgyrn, yn blodeuo fel rhosod yn yr haf ac felly'r oedd Suzi. Ces hyd i fwthyn ym mhentre Llithfaen ger Pwllheli, fel y dwedais o'r blân. Roedd yr olygfa dros y tir yng nghrafangau'r gaea a Bae Ceredigion yn ysbrydoledig, fawr ddim yn symud, dim ond ambell ddafad dene ar y llethre a brân o bryd i'w gilydd yn croesi'r awyr ddu.

Byddem yn torri boncyffion bob dydd yn y goedwig uwchlaw pentre anghyfannedd Nant Gwrtheyrn ymhell islaw ar lan y môr. Rhoddai Suzi help llaw i lusgo'r boncyffion yn ôl dros y bryn i gefen y tŷ lle treuliwn i'r bore'n eu llifio. Roedd y lle tân carreg yn anferth ac yn dal boncyffion pedair troedfedd yn hawdd. Roedd iard lo drws nesa i ni ond roedd glo'n ddrud a hithau'n fain arnon ni. Roedd John Glo bob amser yn feddw, yn caru gyda gwraig tafarnwr yr unig dafarn yn y pentre, Tafarn y Vic. Dyna dwll o le llwm; gŵr y dafarn a'i ferch yn ei harddege yn swatio o flân tân bach, doedd fawr neb yn mynd yno. Roedd ganddo waith arall fel trafaeliwr. Sais oedd e, dwi'n credu, ond doedd dim ots beth oeddech chi yn Llithfaen, doedd neb yn becso dim. Ychydig o bobol oedd yno a do'n nhw ddim i'w gweld yn gwneud dim, ar wahân i ddyn fel gafar wanwyn oedd yn gyrru'r bŷs a byth yn dweud na bw na be wrth neb.

Ro'n i'n meddwl y bydde Suzi, merch lawen, gymdeithasgar, yn mynd o'i cho ond nid felly y bu a ganed Erwan ar 24 Hydref 1986 o dan gwmwl niwclear o Chernobyl yn yr Wcráin. Cawson ni'n siarsio i gadw babis dan do, ac aros dan do fu'n hanes ni a byw mewn un stafell lle roedd tân trydan dau far ac yno

Suzy ac Erwan, Llithfaen, 1986

y bydden ni'n treulio'r rhan fwya o'r amser yn swatio mewn blancedi a phetheuach babis o'n cwmpas ym mhob man.

Yn orie mân y bore y ganwyd Erwan, ac ambiwlans yn sgerbydian a sgrytian wrth fynd â ni i Ysbyty Dewi

Sant ym Mangor, dros ddeng milltir ar hugain o daith. Roedd yn fabi hyfryd ac ro'n i dan deimlad. Ro'n i yno trwy'r geni a gwrthododd Suzi gyffurie lladd poen. Roedd hi'n ddewr iawn.

Beintiais i gryn dipyn yn Llithfaen, y tirwedd lleol, ac mae'r lluniau ar hyd y lle o hyd. Rhoddais dri i Big Beryl a phrynodd Gwenllian rai hefyd.

Rhoddais y band yn ôl at ei gilydd i recordio caneuon ro'n i wedi'u sgrifennu yn Llithfaen. Hwn oedd y band y ces ei fenthyg gan Rhiannon Tomos yn un o gigs gwobrwyo *Sgrech*. Mark Williams yn drymio, Mark (Cwn) Jones yn canu'r gitâr fas a Meredydd Morris ar y gitâr flaen. Gwerthodd ein recordie'n dda yng Nghymru a Llydaw lle buon ni ar daith sawl gwaith. Mae'r adran rythm a fi gyda'n gilydd ers blynydde maith. Mynd wnaeth y menywod ond aros wnaeth y cerddorion. Diddorol! Mlân â ni! Paid edrych 'nôl!

Cawson ni anturiaethau yn Llydaw. Gallwn adrodd straeon di-ri am gigs gwyllt, rhemp, mynd dros ben llestri ym mhob ffordd, fel arfer yn cynnal deg neu ddeuddeg gìg mewn pythefnos a theithio mewn fan fach gyda'r amps a'r offerynne a'r system sain i gyd. Bydde dwy neu dair merch wedi'u gwasgu i mewn hefyd – ro'n i'n boblogaidd iawn yno.

Yn ddiweddarach es i recordio albwm arall eto i Recordiau Sain ond y tro 'ma defnyddiais fand o Lunden a ffurfiwyd i mi gan fy hen fêt anhygoel, Brian Godding, aelod o Blossom Toes. Dim ond ar gasét y daeth yr albwm *Gwin a Mwg a Merched Drwg* mas (Sain di-sens eto) ond roedd yn hyfryd. R'yn ni'n dal i berfformio rhai o'r caneuon hyn yn ein gigs. Ces gynnig miloedd am 'The Victor Parker Song' ond fyddwn i byth yn ei gwerthu am eu bod nhw isie i mi newid y geiriau i 'The Charlie Parker Song'. Cachu rwtsh.

Bydde fy hen fêt Dave Reid, gitarydd bas chwe thant gwych, yn chware tipyn gyda mi pryd 'ny. Jazz oedd ei gariad penna a gwnaeth recordiad byw, *Metal Bop,* yn y Jazz Café yng Nghaerdydd. Grêt. Gwaetha'r modd, bu farw'n ddiweddarach o drawiad ar y galon yn Efrog Newydd lle roedd yn cael clyweliad. Colled drist, roedd pawb yn meddwl y byd o'r bachgen dall hwnnw. Ro'n i wedi sgrifennu cân amdano flynydde ynghynt yn 1977, 'Dai Dall', ar y record *Gog*: 'Dim ond bachgen dall oedd e a golau yn bellach draw na channwyll corff rhyw seren farw.'

Roedd Suzi ac Erwan yn dda eu byd ym Methesda. Byddwn i'n mynd yno o bryd i'w gilydd ond chawn i ddim croeso. Roedd Suzi yn byw gyda dyn a briododd yn y diwedd a chael dau o blant eraill gyda fe. Ymhen hir a hwyr gadawodd hi hwnnw i ddilyn un o drafaelwyr yr oes newydd, a adawodd yn ddiweddarach i fynd gyda rhywun oedd yn gaeth i heroin. Dyna ffycin potsh anniben; mae arna i drueni drosti. Ond aeth Erwan ein mab yn ei flân yn dda. Mae bellach yn bump ar hugain, yn rhedeg tŷ bwyta ger Bangor ac yn byw yn Rachub. Prin y bydda i'n eu gweld nhw nac yn clywed oddi wrthyn nhw. Trueni na fydden ni'n agosach, ond fel'na mae hi. Mae amser yn mynd yn rhy glou!

Yn y cyfnod 'ma ro'n i'n treulio'r rhan fwya o'r amser yng Nghaerdydd yng nghartre Big Beryl neu yn Llydaw lle byddwn fel arfer yn aros yn Restparcou, yng nghanol cefen gwlad, ger Carhaix. Ro'n i ar daith eto ac yn dwlu ar bob eiliad, yn gigio mewn barre bach yng nghefen gwlad Llydaw, dim ond y fi a'r gitâr, dim hen geriach fel ceir, amps, systeme sain na chariadon. Treuliais gyfnode maith yn yfed gyda fy mêt Byn Walters oedd yn berchen tŷ tafarn o'r enw Tavarn Ty Elise ym mhentre bach Plouyé. Roedd y dafarn hon yn hen fel pechod ac, yn anffodus, llosgodd yn ulw y llynedd a dyw hi ddim wedi'i hailgodi eto. Ond daeth Byn drwyddi ac mae'n dal i fyw yn y parthe 'ny. Rhyfedd gweld tafarn Lydewig ym mherfeddion Llydaw a draig goch anferth wedi'i cherfio o haearn gyr yn sticio allan o'r wal uwchben y drws. Mae'r ddraig yn cydio mewn pot peint yn ei chrafanc flân! Brysied y bildars. Rhaid i Ty Elise godi fel ffenics.

PENNOD 8
Trwbadŵr

Mae teithio'n rhan fawr o fywyd trwbadŵr. Tipyn o air ffansi yw trwbadŵr, sy'n cyfleu rhamant, hanes, cerddoriaeth a dawnsio, hyd yn oed serch llys, sy'n dal i fynd, dwi'n credu. Gallai Bob Dylan, Tim Hardin, Tim Buckley, Jim Morrison, Mick Jagger a hyd yn oed Frank Sinatra dystio i hynny. Cantorion rhywiol, merched yn llewygu wrth eu traed, 'na bictiwr – *fantastique*! Ond dwi wedi gweld pictiwr arall: tri neu bedwar o fechgyn shibwchedd, chwil ar ddiod a chyffurie mewn hen ambiwlans, fan Bedford neu Ford Transit. Trwbadwriaid y chwedege oedd y rheini, yn gyrru o gwmpas â phentwr o amps wedi'u llogi, yn chware trwy'u tine am gyflog mwnci, wastad yn dlawd, yn llwgu, a jyst â thagu – jyst ennill digon i brynu petrol i fynd i'r gìg nesa a 'nôl. Ar nawdd cymdeithasol mae'r trwbadwriaid 'ma'n byw fel arfer, yn bachu ambell geiniog trwy ddelio mewn dôp fel bod ganddyn nhw flewyn o hash neu wellt i'w gymysgu gyda'r Golden Virginia. Sbîd (sylffad amffetamin) oedd cyffur y dydd am ei fod yn eu cadw ar ddihun, a hwythau'n gorfod gyrru pellteroedd maith, diflas. Deke Leonard, y gitarydd a'r canwr gyda Man, y band o dde Cymru, a darodd yr hoelen ar ei phen yn nheitl ei lyfr cynta, *Rhinos, Winos and Lunatics* a'r ail gyfrol *Maybe I Should've Stayed in Bed*.

Wnes i dipyn o hynny yn y dyddie cynnar hefyd, ond fel unawdydd y byddwn i'n perfformio fel arfer – caneuon gwerin a'r felan a'm cyfansoddiadau fy hunan i gyfeiliant gitâr acwstig. Fel y dwedais i sawl gwaith yn y wasg ac mewn cyfweliade teledu a radio, roedd Bob Dylan yn poblogeiddio'r math 'ma o adloniant. Fe oedd yn benna cyfrifol am roi'r *genre* yma ar y prif lwyfan, yn y prif ole, gan agor y llifddore i bawb ddaeth ar ei ôl. Roedd trwbadwriaid cynt, wrth gwrs, wedi paratoi'r ffordd i Dylan – cantorion gwerin fel Jack Elliot, Alex Campbell, Derroll Adams, Ewan McColl, Pete Seeger, Josh White, Leadbelly, Davy Graham, Cyril Tawney a Big Daddy Woodie Guthrie, Hank Williams a Jimmy Rogers a'r lleill. Dyma rai o arloeswyr canu gwerin modern ac mae'n dyled ni'n fawr iddyn nhw. Rhoddodd Guthrie uffarn o gic yn nhin y gân draddodiadol hen-ffasiwn ac, yng nghwmni Big Bill Broonzy, Lonnie Johnson a llu o faledwyr anhysbys, ysbrydolodd Lonnie Donegan – Brenin y Sgiffl – a roddodd ganu gwerin yn y siartie cyn dyddie'r Kingston Trio, Peter, Paul and Mary ac eraill! Dwi ddim yn anwybyddu cantorion croenddu'r felan gwlad a gwerin, cofiwch, oedd yn methu cyrraedd y siartie oherwydd rhagfarn hiliol, fel y gwnaeth Hank Williams, The Carter Family a Jimmy Rogers, a oedd hefyd yn canu gwlad a gwerin.

Ond gyda'r trwbadŵr r'yn ni o hyd, yn ei jîns rhacs, ei fŵts â'u hen sodle wedi treulio, ei gitâr dolciog a'i rywioldeb. Ond rhoswch funud – beth sy'n rhywiol am ganu gwerin? Doedd cantorion gwerin ddim i fod yn secsi; pobol mewn oed o'n nhw, yn cofio rhyw hen ganeuon a glywon nhw gan hen bobol pan o'n nhw'n ifanc. Ond na. Drychwch 'nôl ar oes serch llys, Trystan ac Esyllt, a chwedlau'r Brenin Arthur.

Os o'ch chi am fyw bywyd trwbadŵr yn y pumdege, y chwedege a'r saithdege roedd rhaid i chi fodio liffts yn amal iawn, myn uffarn i! Bachu pasys, neidio ar drenau, cychod ac awyrenne, heb docyn fel arfer – ni i gyd wedi neud 'ny! Bysgio yn Ewrop ac America, chware mewn caffis a barre. Fel'na mae hi wedi bod o hyd, ac fel'na bydd hi byth, mae'n debyg! Dim ond cael rhywbeth i'w fwyta, joch neu ddau, a llawr i gysgu arno pan fyddwch chi wedi blino gormod i chware rhagor. Fel'na mae hi a dyna ni! Weithie does 'da chi ddim banjo na gitâr na hyd yn oed organ geg. Rhaid benthyg offeryn am eich bod chi mor llwglyd fel bod rhaid gwerthu'ch un chi i brynu bwyd neu docyn trên i fynd adre am fod eich mam neu'ch brawd neu'ch cariad yn sâl ac am i chi fod yno. Dwi wedi gwerthu gitâr i rywun ac wedyn gorfod ei phrynu'n ôl er mwyn gwneud gìg gannoedd o filltiroedd i ffwrdd am dâl o ugain punt! Fel'na mae bywyd trwbadŵr a fentra i ei fod heb newid fawr ddim gydag amser. Y'ch chi'n credu bod hynny'n galed, yr holl gojo yma, a'r tlodi, yn chwil o hyd, heb ddime, yn ddigartre? Pan fyddwch chi'n pwyso a mesur y daith gyfan, mae'n gythrel o ffordd o fyw – ac yn ffordd o farw ambell waith.

Fe welwch chi lefydd anhygoel, cwrdd â phobol anhygoel – yn y diwedd r'ych chi'n dueddol o anghofio am gysuron corfforol, eiddo, ffasiwn, cartre, arian, ceir, anifeiliaid anwes, y gwragedd, y gwŷr a'r teulu, pethe y mae pobol yn eu cymryd yn ganiatáol. Yr hewl agored, y môr mawr, y trac rheilffordd, y gorsafoedd bysys, y meysydd awyr, y meddwl agored sy'n cadw'r trwbadŵr i fynd. Mae ffordd o fyw'r trwbadŵr yn hollol wahanol i ffordd o fyw'r rhai sy'n meddwl ei bod yn galed ac yn ofer. Antur yw bywyd y trwbadŵr; mae'n ysbrydoliaeth, yn gynhaliaeth ac yn risg. Mae'r trwbadŵr yn ddifyr, mae'n *maestro*, yn arloeswr, yn torri cwys newydd, yn torri tir newydd, heb unrhyw gyfrifoldebe, ac mae ganddo awch afreolus i ddiddanu (cofiwch daith ddiddiwedd Dylan). Ewch â'r canu at y bobol, eu difyrru, gwneud iddyn nhw deimlo'n dda ac i feddwl am fywyd, am farwolaeth ac am y byd a ddaw.

Ro'n i wrth fy modd yn ishte wrth draed Derroll Adams ac Alex Campbell, am yr hyn o'n nhw go iawn – trwbadwriaid meddw, yn gitare a banjos hyd at eu clustiau, bois garw, cadarn fel craig ond, ar yr un pryd, mor dyner ac addfwyn â llaeth a mêl. Crwydriaid fel Davy Graham, Long John Baldry, Wizz Jones, Sonny Terry a Brownie McGhee, a Jesse Fuller, neu Guthrie ei hunan – a gynhyrchodd y don fodern newydd – Bert Jansch, John Renbourn a Paul Simon. Mae trwbadwriaid yn darganfod, yn chwilio, yn cloriannu, yn meithrin ac yn trosglwyddo traddodiade'r trwbadŵr i'r rhai sy'n credu. Mae'n hen, hen broses, yn ddiderfyn ac yn dragwyddol.

Rhaid i ni beidio ag anghofio'r cryts mewn hen siandri o fan. Y systeme sain wedi'u llogi dros dro a'r rhan helaetha o dâl y gìg yn mynd i dalu am hynny'n syth. Nid yr arian sy'n mynd â'u bryd nhw. Y cwbwl maen nhw isie yw mynd ar lwyfan mewn bar roc a rôl, chware eu cerddoriaeth a joio mas draw. Dyw pobol ddim yn sylweddoli bod y cryts hyn yn cynrychioli traddodiad hynafol y trwbadŵr mewn byd cyfalafol o adloniant arwynebol. Dim ond criw o gryts ifanc chwil y'n nhw, yn cadw sŵn yn y gornel.

"Pwy adawodd *nhw* i mewn? Rho'r teledu mlân, mae 'na ffycin gêm bêl-droed heno! Manchester Cretins yn erbyn Liverpool Dumbos! Tro fe reit lan, boi, a dwed wrth y crincs 'na am gau'u cege a mynd i gachu, neu bydd 'na le 'ma!" *Vive le troubadour*!

PENNOD 9
Cyflwyno Frances

A DYMA FI'N stŷc mewn rhigol 'to, neu fel bydde fy hen ffrind yr 'Arch-hipi' Thomas S yn ei ddweud, "Dyma fi yng Nghaerdydd ar y dôl eto!". Roedd iypis ac eraill wedi heidio i Bontcanna, felly roedd prisie'n codi a *delicatessens* a bistros smart yn tyfu fel shrwmps. Bydde rhenti tai ein landlord Des Rees yn gorfod codi – twll o le pob un. Roedd tafarn y Conway dros y ffordd yn dal i fod yn fywiog iawn, a wynebe newydd o Wynedd i'w gweld yno, yn mentro'u lwc yn y ddinas fawr, yn breuddwydio am ddod yn actorion enwog, yn gyfarwyddwyr ffilm, yn arlunwyr, yn feirdd neu'n slochwyr. Neu falle am hawlio'u rhan yng nghrochan aur y BBC neu HTV yng Nghaeau Pontcanna dros y ffordd. Roedd y byd i gyd o'n blaene ni, unrhyw beth yn bosib, Caerdydd fel magned ac adar brith ym mhob man yn chwilio am le yn nyfodol celfyddyd yng Nghymru.

Roedd mwstwr y cenedlaetholdeb milwriaethus wedi tawelu, prin bod trafod gwleidyddiaeth o gwbwl yn y dafarn, ond roedd digon o forio canu emyne a chaneuon poblogaidd Cymraeg a bandie *ceilidh* Gwyddelig yn perfformio yn y Conway bron bob nos. Weithie roedd hi'n anodd cael lle i ishte oherwydd y pentyrre o gasys gitâr a banjos wedi'u taflu blith-draphlith o gwmpas y bar.

Ond i fi, roedd y llif o gyffro wedi lleihau. Cymeriade wedi mynd a dod, gadael, marw, diflannu, wedi mynd yn alltud neu wedi codi pac. Ro'n i'n hen gyfarwydd â'r byd hwnnw ac ro'n i'n gweld pethe mewn gole gwahanol, yn teimlo newid, ac wedi gweld diwedd ar yr yfwyr pedair awr ar hugain yn y Conway, yr Halfway a'r Cameo Club. Roedd hi'n chwith ar ôl yr ymadawedig – y ffrindie, y meibion, y merched, y cariadon, eu trugaredde i gyd a'u partïon diddiwedd. Ond fel'na mae hi.

Roedd y robots awtomatig yno o hyd, yn cael eu rheoli o bell, byth yn mynd dan draed, dim ond ishte ar stolion wrth y bar, eu cefne at bawb ac yn mwmial i'w potiau peint drwy'r nos. A'r *arty-fartys* a'r siwds – llathen o'r un brethyn oedden nhw – wedi ffoi o Ganolfan Gelfyddydau Chapter ar dir hen ysgol Canton High, sy bellach yn gadarnle nodweddiadol pobol ryddfrydig asgell chwith, wedi'u noddi gan gynghorau celfyddydau neu bwy bynnag. Creaduriaid nos y Chapter oedd yn hedfan i'r Conway, oedd yn dân ar groen yr *arties* hŷn – Tinniswood, Ormond, Tripp, Aled Vaughane, John Morgan a Wynford Vaughan-Thomas – a fydde'n ishte yn eu cornel arferol ac yn cynnal sgyrsie llenyddol uchel-ael a chladdu galwyni o gwrw da Jack y tafarnwr. Maen nhw bellach ymhlith y rheini mae colled fawr ar eu hôl.

O bryd i'w gilydd byddwn i'n gadael i rywun fy arwain i gyfeiriad y Chapter – fel arfer am mod i'n bôrd neu rywun wedi addo drincs am ddim. Ond gan amla cael ein hel o'no fyddai'n hanes ni – dyw artistiaid ddim yn hoff iawn o ganolfannau celfyddydau beth bynnag. "Rho'r gore i gico tin y

Cael peint yn yr Halfway – dathlu pen-blwydd yn 50 oed

Y gitâr Washburn 2-Neck

gaseg farw 'na'r diawl!" Bydde Ray Smith, actor tan gamp a chanddo lais fel Richard Burton, fel arfer yn trio codi ffeit tra oedd ei fêt John Tripp, cyn-newyddiadurwr wedi troi'n fardd, yn rhefru ar bawb yn y dafarn o ben bwrdd, fel sachabwndi yn ei hen gôt law *flasher* a'i hen sgidie swêd, yn gweiddi barddoniaeth. "Rwy'n fardd sensitif iawn!" byddai'n sgrechen yn Saesneg. Gyda llaw, roedd Ray Smith, hefyd heb air o Gymraeg, yn gyn-sarjant yn un o'r catrodau Cymreig, ond roedd yn well ganddo godi llais mewn theatr na mewn parêd. Does dim dwywaith nad cadw ochor eu cwsmeriaid roedd Jack a Meg – y tafarnwyr goddefgar, eangfrydig – er bod y bar yn eu gwahanu. Roedd yr ardal yn cael ei galw'n The Triangle, ac roedd yn llawn o slochwyr proffesiynol, y rhan fwya ohonyn nhw yn yfed nos a dydd. Heb sôn am y Special Branch ac MI6!

Wrth gwrs, doedd dim o'r annibendod hyn yn y Chapter, oedd yn atgoffa rhywun o undeb myfyrwyr – a dyna beth oedd e i radde. Roedd hyd yn oed ambell un yn honni bod cymryd cyffurie anghyfreithlon yn digwydd yno! Doedd hyn, wrth gwrs, ddim yn digwydd yn y Conway lle roedd y lysh yn llifo o ffrydie diddiwedd Bacchus (neu Jack neu Meg!). Oedd, roedd pensaer mawr Bacchanalia o gwmpas y lle. Big Beryl o bosib! Gall e ymddangos ar sawl ffurf!

Yn y Chapter, 'run fath â mewn undeb myfyrwyr, roedd system sain brysur iawn yn lledaenu negeseuon a gwybodaeth yn dragywydd. Roedd pobol yn galw'i gilydd o hyd, yn gwneud iddyn nhw deimlo'n bwysig am wn i, neu'n gartrefol hyd yn oed. Bob tro yr awn i yno, a hynny'n anamal, byddwn i'n clywed yr enw

Fran Batin. "Fran Batin i'r dderbynfa" neu "Fran Batin i'r bar." Roedd rhyw dinc anghyffredin i'r enw, bron yn cynganeddu – diddorol. "Dyn neu menyw?" meddwn i wrtha i'n hunan. Ces wbod cyn bo hir iawn.

Roedd Cathy Make-up (Miss Piggy, os y'ch chi'n ffan o'r Muppets, roedd hi'n cael ei galw tu ôl i'w chefen!) yn bygwth cynnal parti mawr yn ei thŷ newydd yn Llanfair Road gerllaw. Parti patio prynhawn Sul, gan ei bod hi'n fis Awst ac yn dywydd braf. Roedd Muppets Pontcanna i gyd yno, fel rhyw Slithy Toves o hunlle Lewis Carroll!

A hithau ar staff y BBC, roedd gan Cathy gylch dethol o ffrindie – *wasters* o fars lleol neu'r teips *showbiz* roedd hi wedi'u cwrdd yn y gwaith. Roedd hi hefyd yn ffrindie â gang Big Beryl. Un o ochre Llanelli oedd Cathy, felly hefyd ei ffrind oedd yn rhannu tŷ â hi. Ro'n i'n meddwl mai tipyn o jamborî oedd ar y gweill, nid barbiciw ac aduniad i ffrindie a chydnabod clòs fel roedd ganddi hi mewn golwg. Roedd gofyn bod yn ofalus o gwmpas Caerdydd gan fod yna *gate-crashers* proffesiynol a fydde'n cyrraedd yn un haid ac yn waglaw ac yn yfed pob diferyn o'r lysh cyn i'r gwesteion i gyd gyrraedd, wedyn yn ei baglu hi i lawr i'r dafarn â'u llond o lysh am ddim. Roedd Pontcanna'n enwog am 'ny!

Ro'n i wedi sôn am barti Cathy wrth ambell dderyn o'n i'n nabod gan obeithio bywiogi rhywfaint arno, rhoi tipyn o sbeis ar bethe, fel y gwna dyn pan mae wedi diflasu. Landiodd Charlie Bethel a Ray Watts, dau hen gyd-slochwr, wedyn Buck (Romeo) Jones, artist, gyda merch bryd tywyll hardd yn cario acordion. "Melodion botwm," medde honno. Yn ôl pob golwg roedd ganddon ni dipyn yn gyffredin – cerddoriaeth yn un peth. Roedd hi hefyd yn ddringwr creigie profiadol iawn ac yn nabod sawl un o'm hen ffrindie o Ddeiniolen a Bwlch Llanberis, ond stori arall yw honno. Roedd hi, Fran Batin, newydd adael Caerdydd ar ôl derbyn swydd gyda chwmni ffilmiau yng Nghaernarfon. Roedd hi'n gobeithio dechre ym myd ffilm a fideo yng Nghymru.

Roedd Fran yn ffeminydd milwriaethus hefyd! Yn Surrey y magwyd hi, gan rieni cefnog, ond doedd hi ddim yn cyd-dynnu â'i thad, felly gadawodd y nyth yn ddwy ar bymtheg oed ar ôl gadael yr ysgol. Aeth ar ei phen i Lanberis yn Eryri, cael hyd i hen garafán a mynd i ddringo. Cyn hir cyfarfu â Joe Brown a'i fêt Don Whillans, dau o ddringwyr creigie gore Prydain a'i cymerodd o dan eu hadain a mynd â hi i fyny rhai o ddringfeydd mwya peryglus Eryri.

Dyma ni felly ym mharti Cathy Make-up, oedd yn twymo erbyn hyn ac yn fwy diddorol wrth i ambell ddieithryn ddangos ei big nes oedd y lle yn dŷ Jeroboam. Aeth Cathy â fi o'r neilltu i roi llond ceg i fi am wahodd pobol nad oedd hi'n eu nabod. Wel, medde fi, dwi ddim yn eu nabod nhw chwaith! Erbyn hyn roedd pawb yn chwil, y gwin yn llifo fel Niagara a'r sioe'n sgrialu fel cath i gythrel! Fel hyn roedd hi bob prynhawn Sul ym Mhontcanna bryd 'ny!

Roedd Fran yn canlyn Buck Jones ond rhoddodd ei rhif ffôn i mi. "Rho dinc os ddoi di i Gaernarfon." Nid yn amal y bydda i'n cwrdd â merch hardd fel sipsi sydd yn canu'r acordion, yn hoffi dringo a chanddi grŵp clocsio! Ro'n i'n llawn diddordeb, roedd ganddi wên hyfryd a chwerthiniad dwfwn. Merch rydd ei

PENNOD 10
Yn hwyr neu'n hwyrach

YN HWYR NEU'N hwyrach bydda i bob amser yn mynd 'nôl i Gaernarfon, un o fy hoff lefydd yn y byd. Hen dre borthladd yw Caernarfon, a'i strydoedd blith-draphlith yn flêr, wedi gweld dyddie gwell, ac yn lawog. Mae'n dyddio o gyfnod y Rhufeiniaid a'r rhan hyna, ar wahân i olion barics Rhufeinig Segontium, yw'r dre Normanaidd gaerog a ffos o'i hamgylch. Yn ddiweddarach cododd Edward y Cyntaf gastell enfawr wedi'i seilio ar gaerau Arabaidd a welodd y Croesgadwyr ym Mhalesteina. Dyma ble, fel mae pawb yn gwbod siŵr o fod, mae ffug dywysogion Cymru yn cael eu coroni. Mae 'na sôn fod y cyflog yn wych!

Tu fewn i'r murie mae olion tre ganoloesol sydd wedi adfeilio ac wedi cael ei hailgodi, ei hatgyweirio a'i hailwampio dros y canrifoedd. Mae sawl adeilad Sioraidd wedi mynd â'u pen iddynt. Pam na fydde rhywun wedi gofalu amdanyn nhw'n iawn? Mae tipyn o'r dre yn ddolur llygad. Caernarfon hefyd yw canolfan llywodraeth leol Gwynedd ac mae'r rhan fwya o'r adeilade modern yn gartre i swyddfeydd y Cyngor, y llyfrgell, y llysoedd a swyddfa'r heddlu. Aber afon Seiont yw ffin y dre i'r de, yn rhedeg i'r Fenai i'r gorllewin. Cilfach gul yw Seiont, oedd unweth yn gartre i fflyd anferth o longe masnach. Dim ond marina bach braf i gychod hwylio sydd yno erbyn heddi, a dyrned o gychod pysgota. A'r pysgotwyr i gyd yn cwyno nad oes pysgod ar ôl yn y bae!

Mae Caernarfon yn fy siwtio i i'r dim. Dwi'n teimlo'n gartrefol mewn shwt amgylchfyd shibwchedd diymhongar ac mae pobol y dre yn ffwrdd-â-hi ac yn gyfeillgar. Mae bron pob un yn Gymry Cymraeg a hi yw'r dre ola yng Nghymru o faint sylweddol lle mae'r Gymraeg yn iaith gynta ac i'w chlywed ble bynnag ewch chi. Mae'r pentrefi mynyddig o'i chwmpas hefyd yn gadarnleoedd y Gymraeg.

Ar hewl gefen gul iawn, Stryd Pedwar a Chwech, mae tafarn y Black Boy. Adeilad hanesyddol o'r unfed ganrif ar bymtheg yw'r Black, puteindy yn ôl y sôn, sydd wedi cadw peth o awyrgylch yr oes o'r blân. Dwi wedi aros yno'n feddw, wedi meddwi ac wedi neud ffŵl ohona i fy hunan yno fwy o weithie nag y mae'n dda 'da fi gofio, a dyna lle cwrddais i ag Al Harris, Sam Roberts, Pete Minx a rhai o'r dringwyr eraill y byddwn i'n cymowta 'da nhw ar ddiwedd y saithdege. Dyna hefyd lle ces i fy nal gan y landlord yn y gwely gyda dwy ferch, yn yfed siampên a smocio mwg drwg a chael fy ngwahardd o'no am byth. Ond erbyn hyn, dwi'n mynd i yfed yno'n amal pan fydda i yn ardal Cnafron. Iechyd da!

Y tro 'ma yng Nghaernarfon, flynydde wedyn yn 1988, es i draw i'r Black am beint. Roedd twr o bobol leol yno, wrth gwrs, a dringwyr wrth y bwrdd mawr wrth y tân, felly eisteddais gyda nhw am sgwrs. Trodd y sgwrs at y datblygiade diweddar yn y diwydiant ffilm yng Nghymru. Roedd hen ffrind i mi, Huw Jones, newydd godi canolfan deledu a ffilm yng Nghaernarfon. Ro'n i wedi rhoi help llaw iddo flynydde ynghynt i sefydlu Recordiau Sain. Roedd Huw a chylch o gyfarwyddwyr a chynhyrchwyr teledu wedi dod at ei gilydd i greu Barcud – canolfan yn cynnwys stiwdio fawr, swyddfeydd, manne llwytho, sganwyr ac ati. Cofiais y sgwrs yng Nghaerdydd â'r sipsi â'r gwallt du fel y frân a'r chwerthiniad dwfwn nwydus. Roedd rhywun yn ei nabod; roedd hi'n gweithio lan y stryd, medde fe, mewn swyddfa ffilm o'r enw Sgrin. Felly ar ôl gorffen fy nghwrw es i draw yno a dyna lle roedd hi, yn edrych yn bwysig iawn y tu ôl i ddesg a chyfrifiadur. Hey, man, the Welsh film industry is booming!

Daeth i gwrdd â fi am hanner awr wedi pump ar ôl gwaith a ches wbod bod ganddi fab pedair oed, Marcel. Roedd yn rhentu fflat ar y llawr uchaf gyferbyn â'r Black Boy a gwahoddodd fi i aros. Roedd ganddi ddwy stafell sbâr gan fod ei fflatmet newydd symud mas ac roedd hi'n ei chael hi'n anodd talu'r rhent ar ei phen ei hunan. Roedd digon o arian 'da fi bryd 'ny a do'n i ddim yn byw yn unman yn neilltuol, felly cyniges rentu'r stafelloedd sbâr. Roedd hi'n dal i ganlyn Buck Jones er ei fod e'n byw yng Nghaerdydd ac yn dod heibio'r penwythnos hwnnw.

Yn ddiweddarach, pan ddaeth Fran a fi'n gariadon, cawson ni le gwell i fyw mewn tŷ teras ym mhentre Llanrug, heb fod ymhell. Doedd Fran ddim yn hapus yn ei gwaith yn Sgrin lle ro'n nhw'n cynnal llond gwlad o gyfarfodydd cynhyrchu nad oedd byth yn gynhyrchiol. Hi oedd yr unig Saesnes mewn swyddfa Gymraeg ei hiaith ond roedd hi wedi dysgu Cymraeg yn rhugl. Ro'n i'n teimlo bod rhyw awgrym o ddrwgdeimlad yno – mae cenedlaetholdeb Cymreig yn gryf iawn yng

Nghaernarfon. Roedd Rhiannon Tomos, y gantores, yn gweithio yno hefyd. Rhyw le rhyfedd oedd e, neb yn siŵr iawn beth oedd ei rôl yno, tipyn o draed moch a gweud y gwir. Bryd 'ny, ychydig iawn o dechnegwyr, peirianwyr sain a dynion camera Cymraeg eu hiaith oedd ar gael. Ro'n i'n meddwl mai pwrpas Sgrin oedd recriwtio a hyfforddi pobol o'r fath. Y drwg oedd, yn ôl pob sôn, nad oedd gan neb yn Sgrin unrhyw wybodaeth drylwyr yn un o'r meysydd hyn. Roedd Sgrin hyd at ei glustie mewn dyled, ac yn gwneud ei ore o sefyllfa anodd, am wn i, ond barodd hynny ddim yn hir.

I ddechre roedd Fran a fi'n tynnu mlân yn ardderchog ac roedd Marcel yn blentyn hyfryd. Roedd Fran yn dal i fod yn rhan o Clocs Canton yng Nghaerdydd a Marcel oedd y masgot. Gwisgai'r un wisg â'r clocswyr – trowsus streips coch a gwyn hyd at y pen-glin, sane coch, crys gwyn, wasgod werdd a chlocsie gwyrdd. Canai Fran y melodion a chanai boi arall y ffidil – cerddoriaeth debyg i gerddoriaeth dawnsio Morris ac arni flas cryf o'r jigs Gwyddelig. Fran hefyd oedd wedi cynllunio'r gwisgoedd a llawer o'r coreograffi. Bydden ni'n treulio peth amser yng Nghaerdydd, yn cysgu ar lawr John Paul yn ei dŷ yn Plasturton Gardens, Pontcanna. Un o deulu syrcas oedd John Paul a rhai o'r rheini'n dawnsio gyda Chlocs Canton. Roedd gan John Paul farcî bach, cartre ei syrcas, y NoFit State. Bydde'r sioe'n mynd ar daith i barcie o gwmpas trefi'r wlad yn yr haf. Cerddwyr rhaff uchel, jyglwyr a bwytawyr tân o'n nhw, ac i'w gweld yn reidio beic un olwyn ar hyd strydoedd Treganna yn amal. Bydde'r plantos bach hyd yn oed yn mynd i'r siop ar y tacle peryglus 'ma!

Erbyn hyn roedd Fran a fi'n cwmpo mas fel ci a chath. Roedd hi'n cael blas ar fy lambastio â ffeministiaeth ac yn pallu ystyried gwisgo colur na dillad benywaidd. Doedd Fran ddim yn un am drafod.

Ro'n i'n dal i ganu tipyn, yn gwneud sioeau teledu a chyngherdde, oedd yn helpu i dalu'r rhent a rhoi petrol yn Metro bach coch Fran, ac roedd arian y *royalties* hefyd yn cyrraedd bob hyn a hyn. Un arall o ffrindie Fran lle bydden ni'n cael soffa pan o'n ni yng Nghaerdydd oedd Gwyddel, cyn-fynach o'r enw Barry Tobin, llyfrgellydd ym Mhen-y-bont ar Ogwr, dyn diddorol a chroesawgar iawn oedd yn gosod stafelloedd yn ei dŷ yn Stryd Brunswick, Treganna, i'r pyncs a'r bohemiaid eraill. Samariad trugarog oedd Barry a fydde bob amser yn gadael i ni gysgu yn ei stafell ffrynt. Dwi'n ame dim nad oedd â'i lygad ar Fran ac roedd yn dotio ar ganu gwerin Iwerddon. Roedd gan Barry gasgliad gwych o recordie feinyl. Ymhen tipyn symudon ni o Lanrug i dŷ lojin gyferbyn â thŷ Barry yng Nghaerdydd. Erbyn 'ny roedd Fran yn disgwyl.

Roedd gan Fran ffrind o'r enw Rita Guishard. Roedd ei thad yn weldiwr o ddocie Caerdydd ac yn ganwr gitâr jazz penigamp. Fel Ray Norman, roedd yn un o fêts Vic Parker, y gitarydd gore o Tiger Bay. Roedd gan Rita fab, Liam, oedd yn ffrindie mawr â Marcel a'r un oed ag e. Roedd gan dad Rita garafán yn Sling, ger Coleford, Swydd Gaerloyw, ac yno yr âi Rita dros y Sul o bryd i'w gilydd. Âi Marcel gyda nhw weithie, yn gwmni i Liam. Aeth Fran a fi yno un prynhawn Sul a mynd am ddiod i dafarn yn Coleford. Dyma benderfynu aros dros nos. Roedd y dyddiad esgor yn agos ac yn orie mân y bore dechreuodd Fran gael pylie geni. Mewn cae oedd y garafán, yng nghanol coed tal. Diwedd mis Hydref oedd hi, yr wythfed ar hugain, ac i ffwrdd â fi yn y tywyllwch i chwilio am giosg i ffonio am ambiwlans, a dod o hyd i un ar ôl cerdded tipyn ar hyd hewlydd cul, troellog. Pan es yn ôl i'r cae lle roedd y garafán clywn sŵn dwsine o dylluanod yn hwtian yn y coed o gwmpas y cae. Roedd yn iasol a chymerodd sbel i mi ddeall beth oedd yn digwydd – parti tylluanod, hwyl gwdihŵs. Rhyfedd iawn, ac aeth y sŵn mlân am awr neu ddwy ar noson hardd, leuad lawn. O leia ro'n i'n gallu'u gweld nhw (mae gen i *tunnel vision*).

Ymhen tipyn glaniodd Marchogion Sant Ioan mewn hen jalopi o ambiwlans, llwytho Fran iddo ac i ffwrdd â nhw fel cath i gythrel i lawr hewlydd troellog Fforest y Ddena, ar garlam gwyllt tua Ysbyty Brenhinol Caerloyw. Roedd Fran mewn poen mawr ac yn glynu fel gelen wrth y troli roedd hi wedi'i chyrlio arno, a'r ambiwlans yn clecian yn gynddeiriog, yn drybowndian ac yn hwntro drwy gefen gwlad yng ngolau'r lleuad. Roedd y daith yn para oesoedd a Fran yn bygwth esgor unrhyw eiliad. Ond yn sydyn dyma ni'n cyrraedd, a Fran yn cael ei rhuthro i ganol twr o barafeddygon tebyg i griw SAS.

Roedd Fran a fi wedi cynhyrfu'n lân erbyn hyn a chyn mynd ar garlam tua'r wawr, trois i ddiolch i arwyr oedrannus yr ambiwlans. "Dwi mor falch bo chi wedi cyrraedd pan naethoch chi, dwi erioed wedi helpu i eni babi." "Na ni, chwaith," oedd yr ateb, mewn acen fwyn cefen gwlad. Ro'n i dipyn ysgafnach fy mryd ond roedd fy nghalon yn curo fel gordd. Ganed ein mab Elfed ugain munud yn ddiweddarach, y fam a'r babi'n iawn er eu bod wedi blino'n lân. Roedd pawb yn falch fod y cwbwl ar ben. Canlyniad da, yn y diwedd, ar ôl bod ar ochor y dibyn am sbel, ond roedd Fran wedi hen arfer â dringo creigie! Daeth Fran mas o'r ysbyty drannoeth ac aethon ni'n ôl i Gaerdydd. Pedwar ohonon ni bellach, meddyliais. Bydd rhaid i ni neud yn well na dim ond un stafell a chegin yn Stryd Brunswick, Treganna.

PENNOD 11
Dianc o Stryd Brunswick

HEWL LWYD HIR, ddiflas yw Stryd Brunswick, llwythi o sbwriel a chachu cŵn ym mhob man, 'run peth â'r rhan fwya o strydoedd cefen Caerdydd. Tai brics coch, rhai wedi'u neud lan yn smart, rhai wedi gweld dyddie gwell ac angen o leia un gôt o baent. Ro'n ni'n rhannu cegin y llawr gwaelod â merch ifanc a chanddi fab bach tua dwyflwydd oed – roedd y gŵr, neu'r partner, yn y carchar.

Roedd Elfed, y babi, yn dod yn ei flân yn dda a Fran yn disgwyl babi arall. Cyfnod diflas oedd hwn; roedd hi'n fain iawn arnon ni ac roedd rhaid dod mas o'r rhigol rywsut. Ganed Megan, ein hail blentyn, dros y Nadolig. Roedd y papure newydd Prydeinig yn llawn newyddion digalon fel arfer – hanesion am doriade yn y sector iechyd a chame gwag hurt yn y byd gwleidyddol. Penderfynais bryd 'ny y bydden i'n rhoi'r gore i brynu papure newydd a dwi ddim wedi prynu un ers 'ny.

Pan gyrhaeddon ni Ysbyty Dewi Sant, oedd o fewn pellter cerdded, ar ddiwrnod Dolig roedd golwg ddiffaith iawn ar y lle. Ambell falŵn llipa yn y coridor a naws Dickensaidd, dim un enaid byw yn unman, y lle'n wag, unig. Diflas oedd gweld yr hen ysbyty enwog ar ei benglinie ar noson oer Nadolig. I be mae'r byd yn dod?

Elfed yn fabi

Dydd San Steffan – geni Megan

Roedd amser esgor y babi'n agos iawn a daeth nyrs ifanc aton ni. Arhosodd am dipyn i'w chynorthwywr gyrraedd a phan ddechreuodd y babi ddod roedd rhaid i fi helpu â'r geni. Ganed Megan am un funud wedi hanner nos ar Ddydd San Steffan ac aethon ni â hi adre'r noson honno.

Yn ôl yn y tŷ roedd y gŵr, neu'r partner, a fu yn y carchar wedi cael ei ryddhau dros y Nadolig ac roedd e a rhyw *crooks* eraill, oedd wedi cael eu rhyddhau hefyd, yn aros dros dro yn stafell y ferch ifanc, yn smocio pibe hash cartre ac yn cymryd methamffetamin. Bob bore bydde'r sinc yn y gegin yn llawn chwd a mwy wedyn tu fas i'r drws ffrynt a'r drws cefen. Rhaid eu bod nhw'n cymryd smac hefyd. Roedd nodwydde wedi'u torri ar hyd y lle a sŵn fel anifeiliaid gwyllt mewn ffau yn dod o stafell y jyncis.

Ar ôl tri neu bedwar diwrnod, ro'n i wedi cael llond bol o hyn a rhois gynnig ar siarad yn weddol gall â nhw ond ro'n nhw fel anifeiliaid, yn wyllt ar sbîd. Collais fy limpin yn llwyr a'u towlu nhw mas. Ro'n nhw wedi bod yn treisio cariad ifanc y pen bandit o flân y crwt bach, mae'n debyg, felly mas â nhw, y pedwar ohonyn nhw. Hanner awr yn ddiweddarach daeth curo trwm ar y drws ffrynt a ches fy restio am ymosodiad honedig, fy nghloi yng nghelloedd swyddfa heddlu Treganna drwy'r dydd a fy rhyddhau wedyn heb gyhuddiad tua saith o'r gloch y noson honno. Rhaid bod y troseddwyr wedi cael braw, achos ddaethon nhw ddim yn ôl i gael dôs arall. Clywais eu bod nhw wedi symud i ryw sgwat i lawr yr hewl. Yr wythnos honno aeth Fran i swyddfa dai Cyngor y Ddinas i'n rhoi ni ar y rhestr dai. Cawson ni dŷ newydd filltiroedd i ffwrdd, bron hanner ffordd i

Gasnewydd, yn Llaneirwg, a fu unweth yn hen bentre bach tawel i'r gogledd-ddwyrain o Gaerdydd ac iddo eglwys brydferth a bythynnod a thafarne'r oes o'r blân nes iddyn nhw godi'r stad dai fwya yn Ewrop o'i gwmpas. Digwydd bod, roedd hyn yn amser gwael i fi'n bersonol gan fod Mam yn sâl a finne'n gorfod aros i helpu Fran.

Roedd llond gwlad o deuluoedd â phrobleme yno, gan gynnwys tinceriaid o Wyddelod nad oedd wedi byw mewn tai erioed o'r blân a chlobyn salw o siop Tesco yn y canol, myn uffarn i! Ond roedd hi'n ardal wledig, ar dir isel corslyd rhwng yr hen Heol Casnewydd a rheilffordd y Great Western. Doedd trigolion gwreiddiol yr hen Fro Eirwg ddim yn hoffi'r stad newydd 'ma o gwbwl.

Doedd Fran yn fawr o fam na gwraig tŷ – dim amser i hwfro, brwsho'r llawr a glanhau, dim blewyn o ddiddordeb mewn pethe fel'na. Cyn pen dim roedd hi'n disgwyl eto ac roedd pedwar plentyn i'w bwydo a gofalu amdanyn nhw. Do'n i ddim wedi disgwyl magu teulu arall ond roedd rhaid ymdopi ore gallen ni. Ganed Brynach ar 17 Gorffennaf yn Ysbyty'r Heath. Fran yrrodd yno, a finne ar bige'r drain yn sedd y teithiwr. Ganed y babi heb strach na straffîg. Dyna ddyddiad pen-blwydd fy mam hefyd ac roedd hi yn ei gwaeledd ola yn Ysbyty Withybush yn Hwlffordd. Roedd Betty druan heb allu bwyta bwyd solid ers cant a thri o ddiwrnode ac roedd hi'n marw o ddiffyg ar yr arennau.

Cyn gynted ag y cyrhaeddodd Fran a'r babi adre neidiais ar drên a mynd i weld Mam. Roedd popeth yn iawn gyda Fran ac es i i Shir Benfro'n glou. Beth fydde'n fy nisgwyl i? Bydda i bob amser yn cael cryn dipyn o sylw pan af i ymweld ag ysbyty yng Nghymru, pobol isie fy llofnod ac yn y blân. Yr un hanes oedd hi'r tro yma a ches i ysgytwad o weld Mam mewn stafell breifat ddeche, ei chroen yn felyn a hithe ynghanol ei blode a'i chardie pen-blwydd o'r diwrnod cynt. Trist, trist, trist iawn. Eisteddais gyda hi am dipyn. Roedd wedi'i thawelyddu'n drwm ac ynghlwm wrth beiriant neu ddau. Roedd y nyrsys yn ardderchog ond roedd hi'n amlwg na fydde Betty ar dir y byw yn hir. Torres i lawr i lefen ac roedd un o'r nyrsys yn fy nghofleidio a'r dagre'n tywallt i lawr, a'r cwbwl allwn i'i ddweud oedd, "Tynnwch hi bant, diffoddwch y blydi peirianne. Rhowch fwy o forffin iddi, neu gadwch iddi farw, er mwyn tad!" Heb yn wbod i mi roedd y penderfyniad eisoes wedi'i wneud a gyrrwyd ni o'no (erbyn hynny roedd fy nhri brawd wedi cyrraedd o bellafoedd Prydain). Aethon ni i'r County Hotel a do'n ni ond wedi bod yno brin awr pan ddaeth yr alwad ffôn. Roedd Bet wedi marw mewn hedd, bendith Duw arni. "Yfwch lan a iechyd da," dwedais wrth fy mrodyr. "Ma Bet wedi mynd."

Ond roedd yn rhyfedd, Brynach yn cael ei eni ar ei phen-blwydd a Bet yn marw drannoeth; cyd-ddigwyddiad eto. Ni chafodd Bet weld Brynach, ac roedd hynny'n drist. Pe bai'r babi yn ferch gallen ni fod wedi ei galw'n Bet ond dyna ni! Es i'n ôl i Gaerdydd y noson honno, heb fynd am dro i Solfach; doedd gen i ddim byd i'w ddweud wrth neb yno a dwi'n credu mod i mewn sioc braidd ar ôl deuddydd go anodd, ond roedd tipyn mwy i ddod.

Wythnos yn ddiweddarach roedd angladd Mam, yn Eglwys Sant Aidan yn Solfach. Roedd y ficer wedi herwgipio'r angladd ynghyd â rhyw grinc sychdduwiol arall; bydde'r ddau'n paredio o gwmpas bob dydd Sul yn eu gwisgoedd eglwysig. Roedd yn gas gan fy nheulu'r llith o Epistol Paul at y Corinthiaid ond da o beth oedd iddyn nhw ddewis 'The Old Rugged Cross' ac emyn y morwyr, 'For Those in Peril on the Sea'. Ro'n i mewn breuddwyd o hyd a dwi ddim yn cofio gadael yr eglwys. Ro'n i'n siŵr mod i wedi gweld bachgen â gwallt gwyrdd llachar yn y gynulleidfa ac, fel mae'n digwydd, nid rhith oedd e, ond un o feibion pync fy mrawd, Martin. *Vegans* oedden nhw i gyd ac roedd yn rhyfedd eu gweld nhw yn eu siwtie a'u dillad smart a daps cynfas du am eu traed am nad o'n nhw'n gwisgo pethe lleder. Roedd hi'n grêt gweld y teulu unweth 'to, yn enwedig Wncwl Rhys, brawd ieuenga Mam. Ond dwi ddim yn lico angladde. Ych a fi.

Doedd dim twrw yn angladd Bet, er parch iddi. Ond bu i'r pianydd ein siomi ni a thrista'r sôn doedd dim digon o gerddoriaeth nac emosiwn yn rhan o'r gwasanaeth. Gwnaethon ni'n iawn am 'ny'n ddiweddarach ac aeth hi ddim yn brin o ddiod am eiliad!

Aeth pawb wedyn i dŷ Val i gael bwyd a gwin a dod â'r daith i ben yn y Royal George y noson honno. Claddwyd Bet ym medd y teulu yn Penuel ger y Victoria Inn, Roch, lle bydde hi'n canu'r piano ar ambell nos Sadwrn. Ond dyna ni, mae hi wedi mynd!

PENNOD 12
Fran yn diflannu

ROEDD GAN FRAN lawer o hen ffrindie dringo yn byw yn Sheffield, dinas fywiog iawn, digonedd o dafarne da, dwy brifysgol a sîn gerddorol oedd yn ffynnu – pob math o roc, jazz, canu gwerin a chanu Gwyddelig i'w clywed o gwmpas y clybie a'r tafarne. Roedd Fran wrth ei bodd yno. Yn ddiweddarach dwedodd hi wrtha i ei bod wedi gwneud cais i fynd ar gwrs ffilm ym Mhrifysgol Sheffield Hallam. Ro'n i'n meddwl bod hynny'n syniad da: roedd hi'n rhyw botsian â ffilm a lluniau llonydd ers blynydde ac roedd yn gyfle gwirioneddol dda iddi roi cynnig arni go iawn. Felly bant â hi a 'ngadael i i ofalu am dri o blant mân iawn a'i mab ei hun, Marcel, oedd erbyn hyn yn saith oed.

Roedd Fran yn byw ar nawdd cymdeithasol a budd-dâl plant ac er bod rhyw gwango ffilm neu'i gilydd a Chyngor y Celfyddydau wedi dyfarnu ysgoloriaeth fechan iddi, dyna'r unig arian oedd ganddi i fyw. Doedd gen i ddim dime ac allwn i ddim hyd yn oed godi unrhyw fath o fudd-dâl am fod Fran yn byw arno'n anghyfreithlon. Aeth bywyd yn anodd. Ychydig allwn i deithio gyda thri *bambino* bach, un mewn cewynne o hyd. Ro'n i yn y cachu, doedd dim dwywaith am 'ny. Dim ond pedair gwaith mewn pum mlynedd y daeth hi'n ôl. Fi oedd y tad anghofiedig yn Llaneirwg.

Elfed, Megan a fi yn cysgu'n sownd

Brynach, 5 oed, yn dilyn ei dad!

Cyn hir âi'r plant, un ar ôl y llall, i'r ysgol fach Gymraeg yn Llanrhymni lawr yr hewl. Ysgol Gymraeg dda iawn oedd hon o dan ofal Mr Evans a'i staff brwdfrydig. Ganed y plant i gyd o fewn pedair blynedd felly bob blwyddyn roedd un yn cofrestru ym Mro Eirwg. Roedd cerddoriaeth a drama'n gryf yn yr ysgol ac roedd yno gôr da iawn. Roedd cyngerdd Nadolig Bro Eirwg yn sioe broffesiynol a byddwn yn gwahodd Big Beryl a ffrindie eraill oedd yn hoff o bethe fel'na. Plant Bro Eirwg oedd yn gwneud y cyfan, hyd yn oed y goleuo llwyfan a byddent yn creu sioe gampus o ganu, actio, dawnsio a chomedi. Roedd ysgol Mr Evans yn ysgol ardderchog.

Ro'n i'n straffaglu byw o ddydd i ddydd ond, diolch i freindaliade gan y PRS (Performing Right Society), arian o ambell gìg yn ne Cymru, a ffrindie fel Beryl a Gwenlli, daethon ni drwyddi! Pan ddaeth Fran yn ôl i Gaerdydd ar ddiwedd ei chwrs ffilm doedd hi ddim isie bod gyda fi rhagor. Goleuade llachar Sheffield oedd yn mynd â'i bryd hi ac roedd hi wedi cwrdd â dyn arall. Yn fyr, roedd hi'n cau pen y mwdwl ar y cartre yng Nghaerdydd a mynd bant â'r plant i'r lle pell hwnnw, yn Lloegr. Beth am eu haddysg Gymraeg? Beth amdana i a nhw? Doedd Fran yn becso dim. Roedd hi am i mi adael y tŷ. Hi oedd y tenant; do'n i ddim yn bodoli, ddim ar gytundeb y tŷ, heb goes i sefyll arni a dim gair o ddiolch am ofalu am y plant am bum mlynedd. Fel'na mae hi!

Bygythiodd Fran fi â phob math o rwtsh i neud i fi adael y tŷ, felly es i at ffrind oedd yn dwrne da iawn a chynghorodd e fi i ymladd am ofal y plant. Erbyn hyn ro'n i'n byw mewn fflat fach mewn datblygiad newydd yn y bae ar dir hen ddocie Caerdydd, heb fod ymhell o Stryd Tyndall. Prin y medrwn i fforddio'r lle hwnnw ond roedd rhaid cael cyfeiriad sefydlog neu fase dim gobaith mul 'da fi i ennill y plant. Roedd Fran yn dal i fynd 'nôl a mlân i Sheffield a fi oedd yn gofalu am y plant fel arfer. Diolch byth, roedd Beryl a Gwenlli yn gefen i fi ac ro'n i'n ddiolchgar iawn iddyn nhw. Mae unigrwydd mawr yn cau amdanoch chi pan fyddwch chi'n ymladd eich ffordd allan o sefyllfa sy'n ymddangos yn bur amhosib. Ro'n i'n hen gyfarwydd ag iselder, y trymder calon a'r felan. "There must be somewhere out of here, said the joker to the thief" oedd fy nghân wrth newid cewynne Brynach. Dwi'n siŵr fod rhai ohonoch chi wedi cael yr un profiad. Mae'n anodd!

Mynd sawl gwaith at y twrne ac i'r llysoedd barn. Roedd hen ffrind, Dave Slade, wedi symud i Gaerdydd gyda'i gariad bert, Jean, oedd yn nyrs â chymwysterau da iawn. Ysgolhaig yw Dave, gwyddonydd, yn gwirioni ar feics ac yn frawd i Suzi ddrwg, mam fy mab Erwan.

Bydde Dave a fi'n cael sawl sesh fach gyda'n gilydd yn amal. Roedd yn dipyn o ganwr gitâr hefyd a bydden ni'n cael sesiyne cerddoriaeth anffurfiol mewn barre yn y strydoedd cefen o gwmpas Treganna a'r docie. Un noson cwrddais â Diana, merch ecsentrig, artistig a deallus iawn a fu'n gweithio yn y theatr yn Lloegr am flynydde. Bu'n gweithio hefyd mewn canolfan i'r celfyddydau yn Hong Kong – roedd Diana wedi gweld y byd. Roedd hithe'n gefen mawr i mi yn fy ymdrech i adennill y plant, yn ogystal â Beryl a'i ffrindie – Alwen Parry Jones a Patsy Tinniswood, aelode blaenllaw clwb slochwyr y Conway!

Mewn tŷ bach yn Nhreganna roedd Diana'n byw,

ar Ffordd Romilly. Roedd hithe'n mynd trwy ysgariad ar y pryd, a'i gŵr wedi'i gadael am fenyw arall. Roedd Tom, gŵr Diana, a'r ddynes arall yn gweithio i Opera Cenedlaethol Cymru. Roedd Diana felly yn byw ar ei phen ei hunan ac yn trio rhwyfo mas o ddyfnderoedd iselder oherwydd sioc yr ysgariad. Ar fudd-dâl salwch roedd hi'n byw bryd 'ny, ond ddim am sbel. Bu Diana a fi'n gariadon am ddwy flynedd, wedyn gadawodd hi i fynd gyda dyn arall a dyna ni, dim ond fi a'r plant unweth 'to.

Roedd y gwrandawiad terfynol a dyfarniad *Stevens* v. *Batin* ar y trothwy a sawl ffrind wedi cynnig rhoi tystiolaeth. Anamal y bydde gwarchodaeth plant yn cael ei rhoi i'r tad: mae'r llysoedd fel arfer o blaid y fam naturiol a gwnaed hynny'n glir i fi gan y twrne, heb flewyn ar dafod. Awgrymodd hefyd y dylwn i roi'r ffidil yn y to ond ro'n i'n awyddus i weld diwedd yr holl gybôl, beth bynnag fydde'r canlyniad. Ro'n i'n gobeithio ennill, wrth gwrs, ond yn nwfn fy nghalon ro'n i'n ame 'ny.

Bargyfreithwraig oedd gan Fran, rhywun oedd yn adnabyddus am gynrychioli *feminists* a menywod anffodus oedd wedi cael eu cam-drin gan ddynion.

Pan es i i'r llys roedd gen i fy nhwrne diduedd a fy merch Wizz (Isobel) ar fy ochor i, ynghyd â Big Beryl a Patsy Tinniswood, i gyd yn dystion i ymddygiad anghyfrifol Fran tuag ata i a'r plantos. Gwyddai pawb o gwmpas y tafarne yng Nghaerdydd, gogledd Cymru a Solfach a Thyddewi sut bydde Fran yn llusgo'r plant rownd y tafarne, ac yn eu gadael yn cysgu yng nghefen y car yn amal. Doedd Fran ddim yn ferch boblogaidd ac ychydig iawn o ffrindie oedd ganddi.

Doedd Fran ddim yn gadael i neb o'r cyhoedd fynd i'r llys. Plygodd fy nhwrne ata i tua diwedd yr ail ddiwrnod a dweud wrtha i am roi'r gore i'r achos. "Fydd y teulu Davies byth yn rhoi'r ffidil yn y to," meddwn i – gwir bob gair! Roedd y dystiolaeth yn erbyn Fran yn gryf, ro'n i'n gwingo o gywilydd weithie ac wedi cael digon wrth i'r achos lusgo mlân, fel hunlle. Gwraig dal, ganol oed oedd bargyfreithwraig Fran, wedi'i gwisgo mewn gwisg farchogaeth ddu, crafát gwyn a bŵts hir du â chyffie brown. Galwodd fi i'r bocs tystion. Be sy'n bod nawr? meddyliais.

"Mr Stevens, beth ddwedech chi petawn i'n dweud bod fy nghleient yn argyhoeddedig eich bod yn ceisio dylanwadu ar yr achos drwy ddewiniaeth?" Wel, do'n i ddim wedi disgwyl hynny! Roedd y tair hen wraig ar y fainc a finne'n hollol syn.

"Ydych chi'n *credu* mewn dewiniaeth?" gofynnais iddi. Gwyddai'r fargyfreithwraig ei bod hi mewn twll ac medde hi, "Nac ydw, wrth gwrs. Ffantasi yw dewiniaeth". Collodd yr achos yn y fan a'r lle! Yn ddiweddarach dyfarnodd yr ynadon, y tair hen wraig, o'm plaid i er mawr syndod i'r twrne a cherddodd hwnnw bant gan grafu ei ben a golwg wedi drysu ar ei wyneb. Roedd y plant yn cael aros gyda fi, diolch i'r drefen. Ro'n i ar ben fy nigon. Dyna i chi ganlyniad! Roedd Wizz wrth ei bodd hefyd a gwnaeth y ddau ohonon ni ddawns fach y tu allan i'r llys. Aeth Fran heibio ac edrych yn ddu iawn arnon ni. Ond bant â ni am bryd o fwyd i ddathlu. Ddangosodd Fran mo'i phig yn y tŷ am ddeuddydd a phan alwodd hi, dwedodd ei bod hi'n mynd i apelio yn erbyn y ddedfryd; wedyn aeth hi'n ôl i Sheffield.

PENNOD 13
Mihangel

Yn 1997 gofynnodd Recordiau Sain i mi wneud albwm newydd o ganeuon. Bryd 'ny ro'n i at fy nghlustie mewn pethe ysgol feithrin, yn magu tri o blant fy hun, pob un yn yr ysgol ac yn neud yn dda. Ond roedd hi'n anodd trafaelu i gigs, bron yn amhosib a gweud y gwir. Ro'n i a'r plant yn agos iawn ac roedd hi'n anodd cael rhywun i warchod gan ein bod ni'n byw tu fas i'r ddinas. Ond dyna fel oedd pethe bryd 'ny.

Ro'n i wedi cwrdd â cherddor gwirioneddol ddiddorol, Rob Mills, bachgen o Gaerdydd oedd wedi chware mewn sawl band ac wedi bod yn yr Unol Daleithiau, lle bu'n agos iawn at gael cytundeb gyda CBS Records yn Los Angeles. Priododd ferch o Galiffornia, dod yn ôl i Gymru a ffurfio band, Killing Time. Roedd yn chware tipyn o gwmpas Caerdydd ac roedd ganddo ganeuon gwych, a CD hefyd. A gweud y gwir, Fran oedd wedi gweld y band mewn tafarn roedd pawb yn ei galw'n The Pub on the Mud, yn Riverside. Roedd e'n lle poblogaidd iawn, yn enwedig ar brynhawn Sul – roedd pawb yn mynd 'na!

Roedd gigio'n anodd i fi wrth fagu tri o blant a'u stwff dros y lle i gyd, ac roedd sgrifennu'n anodd hefyd, felly doedd gen i ddim digon o ganeuon i neud albwm cyfan. Felly, gwnes i fargen gyda Rob Mills a chyfieithu'r caneuon neu sgrifennu geirie newydd yn Gymraeg. Gweithiodd hyn yn dda iawn ac es i ati i gael band at ei gilydd. Daeth Bernie Holland lawr o Lunden unweth 'to. Bernie chwaraeodd y gitâr flaen ar *Outlander* yn 1968 – fe oedd un o'r goreuon ar y gitâr yn Llunden. Roedd y band yn fwy nag arfer. Daeth Tony Lambert yn ei ôl o Wlad Thai i ganu'r allweddelle a'r acordion, chwaraeodd Hefin Huws y drymie, Bernie Holland a Rob Mills y gitare, Billy Thompson y ffidil, a Mark Jones y bas.

Dyma ni i gyd yn cyrraedd y Black Boy a'r Anglesey Arms, Caernarfon, mor hapus â'r gog. Mae Bernie wrth ei fodd â rheilffyrdd ac roedd yn edrych mlân at leins bach cul Gwynedd. Doedd neb wedi clywed y caneuon ar wahân i Rob Mills a fi, felly bydde gofyn i ni ymarfer tipyn er bod amser recordio yn brin, fel arfer. Cymerodd Bernie yr awene; mae rhyw chweched synnwyr rhyfedd ganddo fe pan fo pethe'n mynd i'r pen. Fe oedd yn gofalu am y trefnianne, wedi'u seilio ar *demos* roedd Rob wedi'u neud. Ro'n nhw'n ganeuon da. Y diweddar Mickey Gee sgrifennodd 'Down on My Knees' a 'Lawr ar y Cei'; aeth y gân 'Rhywle Lawr y Lein' i gystadleuaeth Cân i Gymru ar y teledu. 'Cecelia' oedd fy hoff gân i, cân am butain oedd yn ennill ei bywoliaeth yn siarad yn fochedd ar y ffôn i bobol porno yn LA. Roedd 'Gettysburg', a sgrifennwyd gan un o ffrindie Rob o'r Unol Daleithiau, hefyd yn gân dda – cân am frwydyr waedlyd ar ddiwedd Rhyfel Cartref America.

Aeth y sesiyne fel watsh. Bydde Bernie'n trefnu dwy gân bob nos cyn i ni gael cinio a pheint neu ddau. Gerallt Llewelyn wnaeth y sesiwn tynnu llunie, ym mar yr Anglesey, ac erbyn hynny dwi'n credu'n bod ni wedi cael y maen i'r wal. Mae'n wych gweithio gyda phobol fel Bernie a Tony Lambert sy'n gerddorion mor ardderchog. Yn wir, weithie maen nhw'n syfrdanol, a'u dyfeisgarwch a'u harbenigedd yn anhygoel. Yn ddiweddarach roedd rhywfaint o broblem. Ces alwad ffôn gan Sain yn dweud bod Rob Mills wedi torri'r fargen ac nad oedd e am roi'r hanner cant y cant o'r breindaliade am y geirie Cymraeg y bydde Sain a fi wedi'u rhannu. Doedd dim ots gen i'r naill ffordd na'r llall a rhyddhaodd Sain yr albwm *Mihangel*, ond doedd fawr o fynd arno. Ond cafodd y ddwy gân ro'n i'n hoff ohonyn nhw, 'Cecelia' a 'Lawr ar y Cei', eu chware uffarn o lot ar Radio Cymru ac roedd hynny'n cŵl.

Rhoddodd yr helynt bach 'na gic lan 'y mhen-ôl i. Dechreuais ganu mwy o'r gitâr a sgrifennu mwy o stwff. Pan fydde'r plant yn cysgu byddwn i'n aros ar fy nhraed tan yr oriau mân, yn sgrifennu, yn chware ac yn arlunio. Aeth hyn mlân am beth amser. Dyw pethe byth yn aros yn llonydd. Gwylio'r plant yn prifio o flân fy llygaid ac yn newid o ddydd i ddydd – dyna daith a hanner. Roedd yn gyfnod hapus a'r plant yn neud yn dda yn yr ysgol.

Pan fydda i yn y stiwdio recordio fydda i bob amser wedi fy weindio, ac ar ôl gorffen recordio mae pawb isie mynd mlân a neud un arall. Mae hynny'n rhan o effaith ysbrydoledig chware gyda cherddorion eraill gwirioneddol dda, fel petaen ni'n rhannu ysbryd y gerddoriaeth wrth chware gyda'n gilydd.

PENNOD 14
Fi a'r 'Arkestra' (Band y Bîb)

Rai misoedd cyn randibŵ'r mileniwm ces ganiad gan Radio Cymru. Ro'n i'n nabod bòs Radio Cymru, Aled Glynne Davies, mab fy hen ffrind a'm cyd-yfwr, y diweddar T Glynne Davies. Rhaid bod gan Aled rywbeth i neud â hyn, meddyliais, oherwydd, er mawr syndod, ro'n nhw isie i mi ganu gyda Cherddorfa Genedlaethol Gymreig y BBC mewn cyngerdd ar 11 Rhagfyr 1999 i ddathlu'r mileniwm yn neuadd enwog y Brangwyn, Abertawe. Nid fi oedd yr unig un ar y rhaglen, wrth gwrs; roedd Caryl Parry Jones, Delwyn Siôn a'i Ffrindiau ac eraill yno hefyd – pob un yn gantorion oedd wedi hen ennill eu plwy yn sîn bop Cymru. Yn rhyfedd iawn, doedd dim sôn am Heather Jones. Unweth 'to roedd hi wedi cael ei hanwybyddu, ac fe ddyle fod wedi bod yno, yn fy marn i.

Dim ond un ymarfer gawson ni, yn stafell ymarfer a stiwdio'r Gerddorfa yn y BBC yn Llandaf ac ro'n i ar bige'r drain ond yn llawn cyffro o feddwl am ganu gyda cherddorfa. Ond roedd trefnianne'r tair cân, 'Cân Walter', 'Gwely Gwag' a 'Victor Parker', yn rhagorol a ches i fy siomi o'r ochor ore. Dyna'r tro cynta i fi weithio gyda John Quirk a dwi wedi gweithio gydag e sawl gwaith ers 'ny. Do'n i ddim wedi bod yn amlwg ar y sîn ers blynydde gan fod Elfed, Megan a Brynach, y plant, yn llyncu amser, bwyd a diod! Ta waeth, dyna beth yw magu plant.

Ro'n i wastad wedi meddwl y byse llawer o 'nghaneuon i'n addas ar gyfer trefnianne cerddorfaol, felly rhai o'r rheini ddewisais i. Roedd yr arian roedd y BBC yn ei gynnig yn warthus ond doedd wiw i mi golli hwn, fy nghyfle cynta i ganu fy nghaneuon i gyfeiliant cerddorfa. Felly fe wnes i 'ny am geiniog a dime! Fawr mwy na threulie a gweud y gwir. Ond mae'n deg dweud mai recordiad sain yn unig oedd hwn ac mae arian radio wastad wedi bod yn llai o lawer nag arian teledu.

Mae Neuadd Brangwyn yn neuadd gyngerdd wych, yng nghanol canolfan ddinesig Abertawe, sy'n cynnwys adeiladau a godwyd wedi'r rhyfel yn y dull Groegaidd-Rufeinig. Mae waliau'r neuadd y tu fewn wedi'u haddurno â murluniau enfawr gan John Brangwyn, athrylith o arlunydd. Roedd hi'n werth mynd yno petai ond i weld gwaith yr artist hwn a llawer o'r lluniadau a'r brasluniau rhagarweiniol yn y coridore o gwmpas yr adeilade.

Roedd anferthedd y cyngerdd yn taro rhywun yn syth. Roedd o leia 70 o chwaraewyr yn y gerddorfa, ac roedd band roc (gitâr fas, gitâr flaen, allweddelle a drymie) ar ben 'ny. Myfyr Isaac, ro'n yn ei adnabod yn bur dda, oedd yn arwain y grŵp a fu'n fand mewnol yn HTV am rai blynydde a'i aelode'n chwaraewyr roc a ffync profiadol iawn. Allwn i ond dychmygu sut sain fydde'n dod o'r cwbwl. Ro'n i'n teimlo'n nerfus iawn, felly dechreuais yfed gwin yn fy stafell wisgo. Mae bob amser lot o sefyllian obutu yn y math 'ma o gigs oherwydd rhyw drafferthion technegol a'r ffaith bod byddin o bobol ynghlwm â'r digwyddiad a uffarn o lot o waith anodd i'w wneud.

Dwi'n credu mai'r botel honno o Rioja wnaeth y tric gan i ni ymarfer am orie heb drafferth yn y byd. Roedd y dechnoleg yn rhyfeddol, pob offeryn yn cael ei gymysgu'n unigol gan feic acwstig wedi'i fachu'n ddyfeisgar ar yr offeryn. Ges i sgwrs 'da un o'r technegwyr sain a ddwedodd fod y meics yn costio £2,500 yr un! Cerddorfa gyfan wedi'i chymysgu fesul offeryn a'r rheini wedi'u bwydo i gymysgydd anferth oddi ar y llwyfan. Roedd 'na bedwar bas dwbwl!

Roedd holl signale'r consol cymysgu cynta ar bwys y llwyfan yn cael eu trosglwyddo i declyn soffistigedig wrth ddrws cefen yr adeilad ac wedyn i sganiwr mewn lorri anferth mas ar y stryd. Roedd ceblau, peirianwyr a recordwyr sain ar hyd y lle ym mhob man fel sbageti. "Shwt ddiawl ma hyn yn mynd i weithio?" Ond dyna i chi wyrth wnaeth y bois hyn i gyd. Dim strach, dim ond bwrw ati'n dawel bach, cam wrth gam, neb yn gweud dim, popeth yn hamddenol, y gore welais i'r BBC yn gweithio ar ddarllediad allanol erioed, er mai recordiad sain yn unig oedd y gìg. Mae ffrwyth y cyngerdd yma, a dau gyngerdd arall, i'w glywed ar y CD *Meic a'r Gerddorfa* a ryddhawyd ar label Sain yn 2005. Ces i fy llorio'n llwyr pan glywais i'r gerddorfa'n chware fy nghaneuon.

Roedd llond bŷs o bobol wedi dod o Solfach. Dwi ddim yn credu bod 'run ohonyn nhw wedi bod mewn cyngerdd cerddorfaol o'r blân ac ro'n nhw wedi rhyfeddu – yr awyrgylch gŵyl, a'r offerynwyr, yr artistiaid a'r gynulleidfa, yn joio bob munud. Nosweth arbennig iawn i bawb oedd yn cymryd rhan.

Roedd yr holl beth yn wych, popeth yn digwydd mor rhwydd, pob un ar ei ore. Ar ôl perfformio fy set, er mawr syndod, dyma Hywel Gwynfryn, troellwr gyda'r BBC ers blynydde a hen ffrind i mi, yn dod i'r llwyfan ac ar ôl rhoi araith fach cyflwynodd i mi'r anrhydedd fwya sydd i'w chael gan y BBC – y meic aur, ar siâp un o'r hen feicroffonau rhuban. Wel, 'na sioc, rhaid eu bod nhw'n meddwl rhywbeth ohona i wedi'r cwbwl! Mae'r meic aur wedi byw yn nhŷ Wizz ers 'ny – yr unig feic aur yn Shir Benfro, am wn i.

Ond gormod o bwdin dagith gi, felly bachais hi o'r neuadd a tharo draw i'r Cricketers Arms gyda rhai o fois Solfach am lased neu ddau arall o win cyn mynd yn ôl i'r gwesty ar hewl y Mwmbwls – y ces ar ddeall wedyn ei fod yn hwrdy. Roedd 'na barti anferth, swnllyd yn y bar lawr stâr tan orie mân y bore. Es i gysgu'n syth, diolch i'r Iôr, a'r Rioja!

Ddwy flynedd yn ddiweddarach gofynnwyd i mi gymryd rhan mewn cyngerdd cerddorfaol arall, 'Symffoni'r Sêr' – y tro 'ma mewn ysgol uwchradd yn Rhydaman ym mis Hydref 2002. Dim byd tebyg i'r Brangwyn, wrth gwrs, ac oherwydd maint y set a'r gerddorfa dim ond lle i gant a hanner o bobol oedd yno. Ond roedd mwy o raen ar y gìg yma na'r un yn Abertawe hyd yn oed. Ro'n i wedi cael profiad gyda cherddorfa ac yn gallu ymdopi'n well â'r holl ffwdan. 'Dim Ond Cysgodion' yw un o'r recordiade gore dwi wedi neud. Hyd yn oed yn yr ymarfer yn BBC Llandaf ro'n i'n gwbod yn syth fod hwn yn mynd i fod yn dda: roedd y trefniant a'r rhagarweiniad ar y soddgrwth yn ardderchog ac roedd hi'n amlwg bod yr offerynwyr yn hoffi'r gân. Ar ddiwedd yr ymarfer ola safodd rhai o'r gynulleidfa ar eu traed a churo dwylo. I ddechre, do'n i ddim yn deall, ond dyma John Quirk, y trefnydd a'r arweinydd, yn bwrw fy ysgwydd i, gwenu o glust i glust a dweud, "Rwy'n credu i ni fwynhau hynna, Meic". Wrth gerdded drwy'r cyntedd clywyd Caryl Parry Jones, oedd hefyd yn ymarfer y diwrnod 'ny, yn dweud wrth rywun, "Be 'di hyn 'ta? Yr Ail Ddyfodiad?!"

Yn Hydref 2004 cynhaliwyd trydydd cyngerdd, yn Neuadd Brangwyn 'to, a chawson ni i gyd yr un blas ar hwnnw. "Diawl, dwi'n credu ca' i job 'da'r lot 'ma," meddwn i fel jôc. Des i oddi ar y llwyfan wedi cael modd i fyw, mewn ewfforia. Roedd 'y mhen i yn y cymyle am ddyddie wedyn. Byddwn i wrth fy modd yn neud cyngerdd cyfan gyda'r bobol 'ny.

Roedd digon o ddeunydd o'r tri chyngerdd felly ar gyfer neud CD, *Meic a'r Gerddorfa*, sy'n un o'r portreade gore o 'nghaneuon i, a dwi'n codi 'nghap i'r BBC a'r holl offerynwyr gwych, llawer ohonyn nhw'n ifanc iawn a newydd adael coleg cerdd. Rock on, Band y Bîb!

PENNOD 15
Steddfod Tyddewi (Cyngerdd yn y pafiliwn)

CES I FY synnu pan glywes i fod Eisteddfod Genedlaethol Cymru yn dod i Dyddewi yn 2002. Pan fydd yr Eisteddfod yn cytuno i ddod i dre neu ardal benodol mae pobol y cyffinie 'ny'n gorfod codi llwyth o arian i gyfrannu tuag at gost llwyfannu'r digwyddiad, sy'n fwy o arian fyth. Mae llwyfannu'r Eisteddfod Genedlaethol yn costio ffortiwn! Roedd hi'n syndod clywed bod y pwysigion lleol wedi derbyn y cyfrifoldeb, yn enwedig o gofio bod yr ardal wedi colli tipyn o'i Chymreictod. Ychydig o Gymraeg glywch chi'n gyhoeddus erbyn hyn yn Nhyddewi, ac ro'n i'n meddwl tybed shwt roedd pethe'n mynd i weithio mas.

Ar ran o hen faes awyr Tyddewi y bydde safle'r Eisteddfod, safle a baratowyd yn ystod yr Ail Ryfel Byd ar gyfer Rheolaeth y Glannau, a llawer o Americanwyr yn hedfan oddi yno ar awyrenne bomio, rhai Liberator yn benna. Mae'r maes awyr yn ymestyn tua dwy filltir rhwng Solfach a Thyddewi, ac ar ochor Solfach y bydde safle'r steddfod. Dwedodd Paul Raggetty OBE, morwr a thafarnwr enwog o Solfach, ar y pryd, "Steddfod Solfach ddyle hon gael ei galw!"

Does dim cysgod o gwbwl mas ar y llain lanio – mae'n hollol agored i'r gwynt a'r glaw. Y gorllewin gwyllt yw hwn, a'r tywydd yn wyllt hefyd – glaw trwm a'r gwynt yn hyrddio gan amla. Ro'n i'n cofio Eisteddfod Abergwaun rai blynydde ynghynt, yn 1986, pan oedd hi'n wynt a glaw drwy'r wythnos. Roedd hi'n storom yno, am sawl rheswm, a hetie, ymbaréls ac ambell babell yn hedfan trwy'r awyr!

Roedd pobol Tyddewi a Solfach wrth eu bodde fod yr Eisteddfod ar ei ffordd a chafodd tipyn o'r bois lleol waith fel rigwyr, yn codi pebyll ac adeilade eraill. At ei gilydd doedd gan y bobol ddŵad yn y cylch, yr ail genhedlaeth o Loegr, ddim llefeleth beth oedd o'u blaene, dim ond y byddai'n denu mewnlifiad o bobol i'r ardal ac arian mawr, ac roedd hynny'n gwneud y tro'n iawn iddyn nhw. Ychydig wydden nhw fod yr Eisteddfod at ei gilydd yn hunangynhaliol y dyddie hyn ac os oes awydd ennill arian go lew, rhaid mynd â'ch busnes i'r Maes am wythnos gan mai dyna lle mae'r bobol i gyd. Wedi dweud 'ny, mae angen llond gwlad o lety, ond trap i dwristiaid yw Shir Benfro ta beth, a'r gwestai a'r tai gwely a brecwast yn llawn dop yr adeg 'ny bob blwyddyn, felly wnaeth y busnese lleol fawr mwy o fusnes nag arfer. Ac mae mynd mawr ar y tafarne bob nos o'r flwyddyn!

Roedd y tywydd yn garedig, prin iddi lawio o gwbwl ac awelon braf oedd y gwyntoedd. Fel arfer mae hi'n tresio bwrw ble bynnag mae'r Eisteddfod ond mae'n rhaid bod Dewi Sant wedi cael gair â duwiau'r tywydd yr haf 'ny.

Ces i alwad ffôn gan Elfed Roberts, Cyfarwyddwr yr Eisteddfod, yn gofyn i fi gymryd rhan mewn cyngerdd yn y pafiliwn ar y nos Iau. Cloben o babell fawr â lle i bedair mil yw'r pafiliwn, lle mae'r cystadlaethe a seremonïe'r Orsedd i gyd. Mae'n binc. Gìg solo yn y babell binc yw pinacl gyrfa i ganwr o Gymro ac mae'n rhaid ei gymryd o ddifri. Mae'n anrhydedd fawr. Ces i fy anrhydeddu yn 1984 yn Eisteddfod Llanbed â gwisg werdd yr Orsedd a bydde'r profiad hyn rywbeth tebyg – bachan o'r fro yn llwyddo, yn perfformio ar y llwyfan cysegredig, cartre'r archdderwyddon a Gorsedd Beirdd Ynys Prydain a'r *élite*. And all that jazz! Twll din bob Sais!

Penderfynais gymryd yr anrhydedd o ddifri a bod yn gydwybodol ynghylch y cyfle gwych yma, a rhoi perfformiad bythgofiadwy. Ro'n i wedi bod yn aros am gyfle fel hyn, a dyma fe, hud unweth 'to! Bydde'r gyllideb yn fodd i roi band gwirioneddol dda at ei gilydd. Gallai Blind Dave Reid, oedd eisoes yn chware i mi ers peth amser, ganu'r gitâr fas – roedd yn gamstar ar y Yamaha chwe thant.

Yr unig drafferth yn achos Dave oedd ei fod e'n byw mewn tywyllwch parhaol a bod angen help arno i fynd i'r gigs ac ar y llwyfan. Unweth iddo gael ei roi yn ei le roedd e'n iawn. Yn drist iawn, bu farw Dave o drawiad ar y galon yn Efrog Newydd rai blynydde'n ôl. Roedd yn offerynnwr deheuig – yr union beth sydd ei angen mewn canwr gitâr fas – a fydde'n ymarfer yn rheolaidd ac yn cyrraedd y llwyfan â gafael lwyr ar y caneuon i gyd. Yr unig anhawster yn achos Blind Dave oedd ei ddallineb, ond doedd hynny'n fawr o drafferth iddo, chware teg. Hiraeth mawr ar ei ôl. Daeth Mark Williams, y drymiwr arferol, a daeth Patrice Marzin, un o gitaryddion gore Ffrainc, aton ni hefyd. Heather oedd yn canu'r llais cefndir a gofynnais i John Quirk neud trefnianne i bumawd llinynnol; canodd e'r piano ar ambell gân hefyd, a Billy Thompson ar y ffidil.

Ymarfer am wythnos yn Neuadd Goffa Solfach oedd y trefniant. Rhentais fwthyn i'r band, a bydde'r adran linynnol yn cyrraedd ar y dydd Iau, diwrnod y cyngerdd – roedd eu rhanne nhw wedi'u sgrifennu ar bapur a phob un ohonyn nhw'n gallu darllen cerddoriaeth ar yr olwg gynta, dim problem. Arhosais i yn Nhyddewi lle roedd gan Denize Guy, fy wejen ar y pryd, fwthyn bach. Aeth popeth fel watsh. Awgrymodd Elfed Roberts y byddai'n syniad cael act arall i'r noson, felly gofynnais i ffrindie i mi, y chwiorydd James – Eirian, Buddug ac Elin – ddod hefyd.

Roedd Eirian yn seren opera ryngwladol, yn byw yn Llunden bryd 'ny ac yn gweithio i wahanol gwmnïe opera. Bwtsiwr oedd tad y merched, a hwythe'n helpu i redeg y busnes yn Aberteifi. Mae'r tair yn meddu ar leisie cryf ac yn gymeriade. Bydden ni wastad yn cael lot o sbort gyda'n gilydd. Daeth y tair i'r Neuadd Goffa am un diwrnod i ymarfer.

Gyrrodd Patrice Marzin i'r Ship Inn o Lydaw. Roedd y band yn barod ar gyfer yr adran linynnol. Yna roedd popeth yn ei le ac yn swnio'n ffantastig. Roedd lot o hongian obutu ar y prynhawn dydd Iau a phob un yn ysu am gael y *sound check* yn y pafiliwn pinc. Tywydd perffaith a machlud godidog dros Ynys Dewi, Carn Llidi a Phen Beri yn y gorllewin. Hyfryd iawn, medde ysbryd Pontshân!

Eisteddodd pawb ar y llain lanio, y tu fas i'r pafiliwn, yn edrych ar y machlud, lle ro'n i'n arfer mynd i gasglu shrwmps pan o'n i'n grwt a'u gwerthu i gael arian poced. Daeth Gorsedd y Beirdd heibio mewn gorymdaith ddwys, ac yn eu plith roedd Archesgob

Caergaint, Rowan Williams, a oedd wedi ei urddo y diwrnod 'ny. Dyma sefyll a gwylio'r Orsedd liwgar yn eu gynau defodol glas, gwyn a gwyrdd, a Williams yn ei regalia archesgob, wrth slochian cans o gwrw a gwydreidiau o Claret. Wrth edrych draw oddi wrth y machlud a'r sioe, gwelais fod cerddorion yr adran linynnol a John Quirk, y trefnydd cerdd a'r arweinydd, yn neud yn union yr un peth â ni! A gweud y gwir, roedd ganddyn nhw bentwr o lysh yng nghefn eu bŷs mini, a Bacchus yn gwenu.

Gwerthwyd pob tocyn i'r cyngerdd, cynulleidfa o bron i bedair mil. Roedd yr awyrgylch, y disgwylgarwch a maint yr awditoriwm yn ddigon i godi ofn ar rywun ond doedd dim byd i'w ofni. Am unweth, ro'n ni wedi bod yn ymarfer fel lladd nadroedd am wythnos. Yn wir, do'n ni erioed wedi ymarfer o gwbwl ar gyfer unrhyw sesiwn recordio.

Yn ddiweddarach daeth Willy Bond, sboner fy merch Wizz ar y pryd, i'n codi ni yn ei dryc agored – ffarmwr tatws oedd Willy. Gwasgon ni i gyd ar y tryc, yr wyrion a'r wyresau yn y cefen, ac i'r pafiliwn â ni, ac i'r llwyfan sidêt iawn. Roedd hi'n noson llawn her. Ond aeth y cyngerdd yn rhagorol, dim un cam gwag, dim un nodyn o'i le, yr holl waith a'r paratoi trylwyr wedi bod yn werth chweil a'r gynulleidfa gyda ni yr holl ffordd. Profiad gwych a charreg filltir yn fy ngyrfa fel canwr.

Gyda node dwetha'r gân ddwetha'n tawelu, rhedodd fy wyrion i'r llwyfan a dod o 'nghwmpas i gan wasgu a chusanu. Wedyn daeth Wyn Lodwick – y clarinetydd jazz mawr o Gymro, ffrind penna band Count Basie sy'n ei alw'n 'The Welsh Connection' – sy'n neud ffŷs ohona i bob amser. Roedd Wyn tua 70 oed bryd 'ny.

Ffilmiodd Eurof Williams, ffrind i mi, y cyfan, felly mae 'na gofnod gwerth chweil o'r noson ar gael yn rhywle o hyd.

Yn ôl yn y tryc, a'r plant yn dal i ddawnso o gwmpas yn gyffro i gyd, i lawr â ni i'r parti yn y Ship Inn ac wrth ddod i waelod rhiw Solfach clywais sŵn torf o bobol. Yno, o flân porthladd hudol Solfach, ar bwys y tŷ lle'm ganed i – bellach yr Harbour Inn, un o dafarne Brains – roedd tua mil o bobol yn dathlu ym maes parcio'r dafarn. Ro'n i wedi rhyddhau CD yn arbennig ar gyfer yr Eisteddfod yn Nhyddewi o'r enw *Ysbryd Solfa* – casgliad o ganeuon a sgrifennais yn Solfach neu am Solfach – ac roedd honno wedi gwerthu fel slecs, felly roedd Dafydd Iwan, ar ran Recordiau Sain, yno i gyflwyno copi o'r CD wedi'i fframio, yn anrheg i fy llongyfarch i. Roedd hi'n teimlo'n union fel pen-blwydd. Roedd pawb mor hapus i fod 'na – grêt!

Y criw ar CD *Ysbryd Solfa*, Mehefin 2002

(llun: Gerallt Llewelyn)

PENNOD 16
East Tyndall Street

ROEDD GWAITH DUR East Moors yn anferth – yn ymestyn o'r corstir i'r dwyrain o ddocie Caerdydd: Ffordd Casnewydd a'r Rhath i'r gogledd, y Sblot a Thremorfa i'r dwyrain a Môr Hafren a docie Caerdydd i'r de. Caewyd y gwaith ar ddiwedd y chwedege a chliriwyd y safle ynghanol y saithdege, pan o'n i'n byw yn Conway Road gyda Gwenllian. Ro'n i'n adnabod artist, Richard Batt, a dynnodd lunie o'r chwalu ac a gafodd gomisiwn gan y perchnogion yn ddiweddarach i beintio cyfres o lunie wedi'u seilio ar y ffotograffau. Gwnaeth geiniog fach deidi o 'ny – rhywbeth anarferol iawn i artist, a gwyn ei fyd!

Yn syth ar ôl yr achos llys i gael yr hawl i gadw'r plantos roedd rhaid i fi fynd at gymdeithas dai a rhoi'n henwe ar y rhestr dai. O'r fan honno wedyn draw i'r swyddfa nawdd cymdeithasol gan mai hanner canpunt oedd 'da fi yn y banc a dim gwaith ar y gweill. Rhoddodd y gymdeithas dai dŷ pedair stafell wely i mi yn East Tyndall Street, dafliad carreg o'r hen borth i waith dur East Moors. Mae un o'r cilbyst haearn bwrw i'w weld o hyd mewn wal yno, yn eiddew i gyd. Sdim golwg o'r gwaith dur erbyn hyn, dim ond yr adeilad brics mawr o'r enw The Maltings – a dyna beth oedd y lle. Câi'r gweithwyr dur – criw sychedig oherwydd eu hamgylchiade gwaith uffernol – ddiod mewn unrhyw un o'r tafarne lleol ar unrhyw awr o'r dydd neu'r nos oherwydd yr holl chwysu. Erbyn diwedd shifft, bydden nhw wedi colli cymaint o ddŵr o'u cyrff.

Pan gyrhaeddon ni'r ardal, tua 1995, doedd dim golwg o'r gwaith dur. Roedd y safle wedi'i droi'n ddatblygiade tai cymuned, ambell stad ddiwydiannol, swyddfeydd ac yn y blân. Roedd rhywun wedi sôn y gallwn i gael benthyciad gan y swyddfa nawdd cymdeithasol i brynu celfi, ffwrn a ffrij ond y cwbwl roddon nhw oedd yr arian sylfaenol i fwydo'r plant a fi. Y cyngor oedd yn talu rhent y tŷ. Bydde hon yn ffordd ryfedd, newydd o fyw. Erbyn hyn roedd Elfed yn 10 oed, Meg yn 9 a Brynach yn 8 ac yn mynd i Ysgol Gymraeg Bro Eirwg yn Llanrhymni, fel y dwedais i yn gynharach. Byddwn i'n mynd â nhw at y bỳs am hanner awr wedi wyth bob bore a'u codi nhw am bedwar y prynhawn. Wrth lwc, mae archfarchnad Lidl gyferbyn â ni ac ar y penwythnos mae marchnad enwog Splott ar dir reit y tu ôl, a llond gwlad o fwyd rhad yno ar fore dydd Sul.

Criw cymysg oedd y bobol oedd yn byw yno, neb yn gefnog, yn wir, yn hollol fel arall dybiwn i. Ond gwaith cerdded chwarter awr yn unig oedd hi i ganol y dre, gwareiddiad o'i gymharu â Llaneirwg oedd hanner ffordd i Gasnewydd, sy'n enfawr, heb unrhyw gymeriad nac awyrgylch. Am y deng mlynedd oedd i ddod byddwn i'n magu ac yn bwydo'r plant ac yn gofalu amdanyn nhw; dyna pam ro'n ni mor glòs, er i Megan adael cartre ar ôl geni ei merch fach, Alicia (Alice), yn 2006. Roedd galw amdana i bob hyn a hyn i wneud ambell gìg, ond roedd hynny'n anghyfleus

Elfed, Brynach a Megan yn yr ardd

Elfed, Brynach a fi, Eisteddfod Casnewydd, 2004

fel arfer. Ond weithie, pan ofynnid i mi chware yn yr Eisteddfod Genedlaethol neu ryw ŵyl fawr arall, bydden ni i gyd yn mynd i aros mewn gwesty neu hyd yn oed yn llogi carafán. Bydde'r plant yn mynychu gigs yn amal, hyd yn oed pan o'n i'n byw gyda Fran, a'r plant yn fach. Yn yr haf bydden ni'n mynd i Solfach am dair neu bedair wythnos, lle daeth y plant yn ffrindie oes â rhai o gryts y pentre a rhedeg yn wyllt o gwmpas y traethe a'r coed a'r brynie fel y bûm i'n neud yn eu hoed nhw. Mae fy mhlant yn wynebe cyfarwydd yno ac mae ganddyn nhw gysylltiade cryf o hyd â'r lle dwi'n dal yn ei alw'n gartre, annwyl gartre.

Bydden ni'n treulio peth amser ar ochor arall yr afon ym Mhontcanna a Threganna lle roedd y rhan fwya o fy ffrindie'n byw – yn eu plith Big Beryl, Roger ac Alwen, a Patsy. Yno mae Diana'n byw hefyd ac roedd hi'n garedig iawn yn cwcan bwyd i ni ac yn meddwl am bethe neis i'r plant. Dyw bod yn deulu un rhiant ddim yn ddelfrydol. Mae gofyn cael dau riant i fagu teulu mawr; mae'n waith caled iawn i un: mae rhywun yn blino'n lân, ac yn unig ambell waith, ond dim am sbel â thri o blant bach swnllyd obutu'r lle.

Ro'n i wrth fy modd yn Solfach yn yr haf – fy hen ffrindie i gyd yno o hyd. Roedd gan rai ohonyn nhw, fel Terry Keemer (TK) Williams, gychod pysgota lle roedd croeso i mi bob amser. Bydden ni'n codi cyn y wawr ac yn casglu'r cewyll cimychiaid o gwmpas Ynys Dewi ac yna'n cael joch neu ddau yn yr Old Cross Hotel neu'r Royal George.

Roedd Terry'n yfwr mawr, *typical* morwr, wedi bod ar longau'r dyfnfor am y rhan fwya o'i oes cyn dod adre a mynd i weithio fel pysgotwr. Roedd ganddo gwch mawr cyflym o'r enw *Miss Ali Jane*, wedi'i enwi ar ôl merch y diweddar Peter Voyce, perchennog blaenorol y cwch. Mae'n rhaid cael cychod cyflym wrth bysgota ar y Smalls, yr Hats a'r Barrels neu Ynys Gwales (Ynys yr Hud fydden ni'n galw Grassholm). Mae'r môr yn ddwfwn iawn a dim ond pan mae'r môr ar drai y mae'r bwiau blân i'w gweld – cyfnod byr rhwng dau lanw. Mae pysgotwyr sy'n mynd yno yn mentro, nid yn unig mentro'u bywyd oherwydd y môr garw ond hefyd mentro colli offer. Pe bai'r cysylltiad rhwng y bwiau blân a chadwyni'r cewyll yn torri, deugain neu hanner cant ohonyn nhw weithie, fe gollech chi'r cwbwl lot, gwerth arian mawr. Bydde'n rhaid prynu rhaffe a chewyll newydd os oeddech chi am ddal i bysgota, a mynd at y rheolwr banc am fenthyciad arall â'ch cap yn eich llaw. Roedd Terry'n yfed o leia poteled o Famous Grouse y dydd, heb sôn am sawl peint o lager.

Blonden dal oedd gwraig Terry, oedd wedi darganfod Solfach yng nghwmni ei gŵr blaenorol. I hel tatws y daethon nhw yno i ddechre a phenderfynu aros am byth. Mae hynny'n digwydd yn bur amal yn Galway yng ngorllewin Iwerddon: *blow-ins* maen nhw'n eu galw nhw. Ond does dim enw cas arnyn nhw yn Solfach, sy'n lle cyfeillgar. Os y'ch chi'n cydymffurfio, mae croeso i chi, sdim ots pa hil, lliw na chred!

Roedd pawb yn syn pan adawodd Terry ei wraig – teulu Terry oedd piau The Old Cross Hotel yn Nhyddewi. Roedd hi'n Gymraes ddiwyd, yn dotio arno, ond fe'i gadawodd hi am Denize, merch hardd Nordig yr olwg, a'i gŵr hithau wedi'i gadael hi yn Solfach gyda thri o blant bach. Y gwir amdani oedd bod gŵr Denize, cyn-forwr yn y Llynges Frenhinol, wedi penderfynu newid ei ryw ar y Gwasanaeth

Iechyd, oedd yn costio tua £10,000 yn y dyddie 'ny. Roedd pobol yn gegagored a rhai ddim yn deall y peth o gwbwl. Beth bynnag, roedd y brawd 'ma – Dic y Cachwr yn ôl pobol tafarne Solfach – wedi codi llawer o dwrw ac yn y diwedd rhoddodd Denize gic mas iddo fe. Roedd gan Terry lygad am ferched rhywiol a hon oedd y *chick* ddiweddara. Priododd Terry a Denize ac aeth hi i weithio ar y *Miss Ali Jane*. Roedd hi'n bladres o roces ac wrth ei bodd gyda'r gwaith a'r bywyd ar y môr.

Priododd cyn-wraig Terry â physgotwr arall a fu unweth yn briod â 'nghyfnither. Roedd pawb yn hapus, ar wahân i 'nghyfnither, Myrna – un o ferched 'rhen Wncwl Syd annwyl. Ond fel'na mae hi lawr yn Dewsland: pobol *rough and ready* y'n nhw, byth yn edrych 'nôl.

TK, Den ac Elfed yn y Ship Inn, Solfach, 1990

Ychydig flynydde o dywydd mawr yn ddiweddarach, a cholli rhai cannoedd o gewyll cimychiaid ac offer, aeth y Famous Grouse a'r poen a'r straen o fod yn berchen ar gwch pysgota yn drech na Terry. Adfeddiannwyd ei gwch hyfryd *Miss Ali Jane* gan yr Awdurdod Pysgod Gwynion a chafodd Terry ei lusgo i'r ysbyty meddwl lleol i gael ei sychu mas. Gadawyd ei ail wraig brydferth, oedd erbyn 'ny'n yfed llond potel o fodca y dydd, ar ei phen ei hunan yn Solfach i wneud drosti ei hun a'r tri o blant. Roedd Terry a Denize yn ffrindie clòs iawn i fi a'r plant, ac roedd yr holl drychineb 'ma'n 'y mhoeni i.

Gadawodd *Miss Ali Jane* borthladd Porthglais ar dreilar mawr a mynd yn sownd ar Bont Solfach. Roedd ei llusgo hi i fyny'r rhiw yn waith prynhawn cyfan. Doedd hi ddim eisie gadael yr ardal!

PENNOD 17
Denize

ROEDD DENIZE YN angel – yn dal, yn benfelen a chanddi gorff perffaith; gallai fod yn seren Hollywood ond nid felly y bu. Glaniodd yn Solfach a bu farw yn Nhyddewi, yn drist, yn unig ac yn feddw. Ond nid felly ei dau ŵr. Mae'r morwr – y gŵr cynta – wedi troi yn Rebecca erbyn hyn ac wedi colli ei organau gwrywaidd, a'r ail forwr bach, sydd wedi colli defnydd talp o'i ymennydd oherwydd y Famous Grouse, yn byw ger Hwlffordd mewn cartre hen bobol. Hanner y dynion oedden nhw, ill dau – o leia mae ganddyn nhw hynny'n gyffredin!

Ar ôl i Dic y Cachwr adael, roedd Denize wedi dechre cael affêr gyda Terry, neu TK fel roedd pawb yn ei alw. Barmed yn y Royal George oedd Den – ei dewis enw hi – ac roedd TK yno byth a hefyd, yn ddyn annwyl ag agwedd ffwrdd-â-hi tuag at bopeth. Roedd e a fi wedi bod yn ffrindie agos ers Ysgol Ramadeg Tyddewi. Yna, aeth TK i'r môr ac es i i ysgol gelf. Tipyn o ferchetwr fu TK erioed ac roedd yn dotio at *glamour*, stripwyr, puteiniaid a rhyw. Yn ddiweddarach gadawodd TK ei wraig gynta, ysgaru, priodi Den a symud i'w thŷ hi ar draws y ffordd i dŷ Mam. Roedd Bet, fy mam, yn hoff iawn o Den. Roedd Mam bob amser ar ochor y gwan, yr *underdog*. Aeth y briodas yn iawn nes i'r alcohol fynd yn drech na nhw ac wedyn aeth o ddrwg i waeth, ac erbyn i *Miss Ali Jane* gael ei thynnu mas o Solfach roedd y briodas ar ben, y ddau'n chwil rownd y rîl ac olion hynny'n amlwg arnyn nhw. Hostel fechnïaeth ym Mhort Talbot fu hanes TK ar ôl ymosod ar un o ferched Den, a dyna'i diwedd hi. Ddaeth e byth 'nôl, a threuliodd fwy o amser yn y seilam, a wedyn mewn cartre hen bobol, lle mae e o hyd. Wnaethon nhw waith rhy dda ar sychu TK; dyna pam mae e'n dal yn fyw.

Roedd Den yn wahanol, a hi hefyd yn alcoholig cronig, ond do'n i ddim yn gwbod hynny ar y dechre. Cwrddais â hi yn Solfach a mynd â hi am ddrinc. Ro'n i isie cael gwbod hanes TK, heb wbod ar y pryd fod y ddau'n cleco'r wisgi a'r fodca ers blynydde. Mae'r tŷ sy gyda fi yng Nghaerdydd yn dŷ mawr tri llawr – pedair stafell wely, dwy stafell fyw, dau fathrwm ac iard gefen fach hyfryd a barf yr hen ŵr, gwinwydden Virginia, gwinwydden datws a blodau'r dioddefaint dros y lle. Roedd gwaith tŷ yn fy llethu ac ro'n i wedi bod yn meddwl ers sbel am gael menyw lanhau. Soniais rywfaint am hyn yn ystod fy sgwrs â Den ac roedd hi'n awyddus i ddod heibio bob hyn a hyn i roi help llaw. Roedd hyn yn grêt ond wyddwn i ddim ei bod hi'n alcoholig ac yn yfed ar y slei. Ymhen hir a hwyr daethon ni'n gariadon a daeth i fyw aton ni, ond cadwodd denantiaeth ar ei byngalo yn Nhyddewi.

Roedd y plant yn cyd-dynnu'n dda â hi a daeth Den yn rhan o'r teulu. Tua deugain oed oedd hi bryd 'ny. Ac er bod Den yn ddeniadol roedd ganddi broblem fawr ro'n i *yn* gwbod amdani: ei hasgwrn cefen, a sawl fertebra wedi asio o ganlyniad i ddamwain car flynydde ynghynt. Roedd hi mewn tipyn o boen ac yn gorfod cymryd lot o dabledi lladd poen. Ond

Denize a Charlie, y gath Siamese

Heather Jones a Denize yn East Tyndall Street

byddai'n dweud nad oedd y pils lladd poen ar eu penne'u hunain yn ddigon ond, gyda'r alcohol, gallai fyw bywyd gweddol normal. Hawdd gweld ei bod hi'n diodde ond doedd gen i ddim clem faint o fodca roedd hi'n ei yfed, ac roedd fy mywyd i'n dechre troi'n hunlle. Weithie byddai'n glwm i'r gwely ac yn ffaelu codi am ddyddie. Yn amal byddai'n chwydu drosta i ac yn gwlychu'r gwely. Roedd yn rhaid iddi adael; roedd fy ffrindie i gyd yn poeni amdana i, a'r plant yn edrych yn rhyfedd arni. Roedd hi'n diodde o bwlimia hefyd; roedd yn gas ganddi fwyd ac roedd hi'n dene fel styllen, yn gorwedd fel sgerbwd ar ei hyd yn y gwely a photeled o fodca wrth ei hochor a hithe'n trio cuddio'r gwir trwy roi sudd oren ynddo fe. Ar ôl iddi fynd yn ôl i Dyddewi – doedd hi ddim yn hapus am 'ny – ffeindion ni 76 o boteli fodca gwag wedi'u cuddio tu mewn i'r drore dan y gwely. Fisoedd yn ddiweddarach bydde rhagor o boteli'n dod i'r fei mewn pob math o lefydd rhyfedd. Pam ddiawl na fydde hi'n eu rhoi nhw yn y bin? Sneb yn mynd i chwilmentan mewn bagie bins, oes e?!

Roedd Den yn addoli'r haul ac angen awyr iach ar ei chorff ac fe gaem hwnnw ar ein gwylie ar yr Algarve ym Mhortiwgal. Roedd Den yn gwirioni ar y teithie tramor 'ma ac ro'n nhw'n lles mawr i ni'n dau. Meddyliais am symud yno i fyw hyd yn oed – roedd dwsine o hen adfeilion yn Faro ac ar hyd cefen gwlad ar werth am geiniog a dime. Ond roedd y plant gen i i ofalu amdanyn nhw o hyd. Ac o un flwyddyn i'r llall roedd cyflwr Den yn gwaethygu. Yn ôl pob golwg doedd gan ei phlant hi ei hunan fawr o ddiddordeb ynddi, oedd yn uffernol o drist, oherwydd roedd Den yn meddwl y byd ohonyn nhw a châi neb ddweud gair drwg yn eu herbyn. Yng nghyffinie Solfach a Thyddewi ro'n nhw'n byw, ac maen nhw bellach wedi tyfu lan ac yn hunangynhaliol.

Pobol o Durham oedd rhieni Den, wedi ymddeol i'r Rhosan ar Wy. Bwtsiwr fu tad Den a dwi ddim yn ame nad oedd wedi neud arian go lew. Ar y dechre ro'n nhw fel petaen nhw'n hoff ohona i, ond wrth i gyflwr Den waethygu newidiodd agwedd y tad tuag ata i. Aeth e'n eitha cas ac roedd yn amlwg ei fod wedi dod i'r casgliad taw 'y mai i oedd cyflwr Den! Roedd fy ffrindie i gyd yn pwyso arna i erbyn hyn i roi diwedd ar y berthynas. Roedd hi'n draed moch a gweud y gwir. Yn y diwedd aeth hi'n ôl i Dyddewi, es i dramor ac ro'n i'n brysur iawn am sbel wedyn. Fe driodd hi ddod 'nôl ata i sawl gwaith ond ro'n i wedi penderfynu y bydde'n rhaid i bethe newid. A ddaeth hi ddim i Gaerdydd wedyn. Flynydde'n ddiweddarach daeth ei thad o hyd iddi wedi marw yn ei thŷ, ar ôl cael gweithwyr ar y stad i falu'r drws. Roedd Den yn noeth ar y soffa. Roedd wedi llenwi'r bath ond yn amlwg wedi cwympo i goma ac wedi bod yn gelain ar y soffa ers deuddydd.

Es i ddim i'w hangladd, oherwydd ei theulu, ond dwi'n gweld ei heisie hi o hyd. Roedd hi'n ferch hyfryd, ond gwastraff ofnadwy, dyna beth oedd ei diwedd hi. Chlywais i'r un gair wedyn gan ei rhieni na'i phlant, felly dyna ddiwedd trist i hanes trist iawn.

Ond ro'n i yma o hyd a'r plant i ofalu amdanyn nhw ac roedd syrpréis anferth rownd y gornel – merch ifanc o Riwlas ger Bangor!

PENNOD 18
Lleuwen

RAI BLYNYDDE'N ÔL, tua 2007, gofynnodd Dafydd Roberts o gwmni Sain i mi recordio albwm o ganeuon newydd. Ar y pryd ro'n i'n dal i fyw gyda fy mhlant, Elfed, Megan a Bryn yn East Tyndall Street a doedd fawr ddim ar y gweill gyda fi. Penderfynais wneud albwm Cymraeg a Saesneg gefn wrth gefn. Roedd gen i lot o ganeuon Saesneg a lot o ganeuon eraill ro'n i wedi'u sgrifennu dros y blynydde, rhai wedi'u cyfieithu i'r Gymraeg, gen i gan mwya, ond yn y dyddie cynnar ro'n i wedi cydweithio â Hywel Gwynfryn o BBC Cymru a fy ffrind Geraint Jarman. Doedd fersiyne gwreiddiol caneuon fel 'Gwin a Mwg a Merched Drwg' a 'Cân Walter' erioed wedi cael eu recordio.

Yr albwm Cymraeg gâi ei ryddhau gynta. Ces afael ar gwpwl o gerddorion – fy mand i, y Brodyr Marx; Bill Fleming, canwr gitâr bedal ddur o Georgia yn yr Unol Daleithiau oedd yn astudio ar gyfer MA yn Aberystwyth; Pwyll ap Siôn, darlithydd o Brifysgol Bangor, ar yr allweddelle, a Billy Thompson ar y ffidil. Bydde fy llysfab, Marcel Batin, yn canu'r gitâr drydan. Daeth Kevin Lewis hefyd, canwr banjo pum llinyn penigamp o Groesgoch, Shir Benfro, a Heather Jones i neud rhywfaint o drydar yn y cefndir.

Aeth y sesiyne recordio yn dda. Cyn pen dim

roedd y tracie sylfaenol i gyd wedi'u recordio ac o fewn wythnos roedd y rhan fwya o'r gwaith wedi'i wneud! Wedyn daeth y gwaith cymysgu, a chyfle i wrando'n feirniadol a chlywed y namau a'r craciau i gyd. Dwi wrth fy modd yn cymysgu sain ond yn ei chael hi'n anodd canolbwyntio ar ôl tair neu bedair awr. Dyw 'nghlustie i ddim yn clywed gystal ar ôl 'ny, fel petaen nhw isie hoe fach ac ailafael ynddi maes o law.

Daeth Heather i ganu'r harmoni ac roedd hynny i'w weld yn gweithio'n iawn ar y pryd. Ond yn ystod y cymysgu sylweddolais nad oedd hi'n canu gystal ag arfer – naill ai roedd hi'n sâl, wedi cael diwrnod gwael neu wedi bod yn gweithio gormod. Mae Heather ar daith bob amser; hi yw un o'r cantorion prysura yng Nghymru yn y maes canu modern, ac mae ei gigs bob amser dan eu sang. Ond y tro yma doedd ei chanu ddim wedi taro'r nod ac yn ystod y cymysgu sylweddolais y bydde'n rhaid ail-wneud y lleisie cefndir. Ro'n ni wedi recordio deunaw o ganeuon ac o blith y rhain byddwn i'n dewis deg, neu dyna oedd gen i mewn golwg ar y pryd. Dwi'n poeni am fy ngwaith ac roedd hyn yn deimlad annifyr – mae Heather a fi'n nabod ein gilydd ers amser hir, hir, a dwi'n ffrindie ers tro byd â Geraint Jarman, cyn-ŵr Heather a oedd yn dal i gydweithio â hi ym myd cerddoriaeth a llawer o feysydd eraill.

Roedd rhaid ffeindio cantores arall. Ro'n i wedi colli gafael ar y sîn yng Nghymru, ar ôl bod yn magu'r plant ers blynydde ar fy mhen fy hunan a bod yn rhiant sengl, a byw fel rhyw fynach rhwystredig! Ffoniodd Geraint un diwrnod a chynigiodd enw Lleuwen Steffan, cantores nad o'n i erioed wedi clywed sôn amdani ond ro'n i'n nabod ei thad, Steve Eaves, sydd hefyd yn ganwr ac wedi cyfansoddi a recordio caneuon gwreiddiol. Ces ei chyfeiriad ac anfon *demo* ati. Trwy lwc roedd Lleuwen newydd ryddhau albwm o'i cherddoriaeth ei hun o'r enw *Penmon*, lle roedd hi'n byw ar y pryd ar Ynys Môn. Atebodd yn syth ac anfon ei halbwm ata i.

Mae llais eithriadol gyda Lleuwen, a dawn naturiol. Bu'n canu jazz am rai blynydde yn Llunden, ledled America, Paris a llawer o lefydd eraill. Mae gradd mewn Cerddoriaeth a Drama ganddi o Goleg y Drindod, Caerfyrddin a choleg yn Indiana yn yr Unol Daleithiau. Roedd ganddi'r llais a'r ddawn ac fe drefnon ni bopeth dros y ffôn.

Daeth diwrnod y recordio. Ro'n i wrthi ers y bore bach gyda'r peiriannydd Eryl B Davies yn Stiwdio Sain yn Llandwrog, Caernarfon. Agorodd y drws a llenwodd hon y stafell reoli â'i phresenoldeb. Neidiodd Eryl ar ei draed i gyfarch blonden dal, hardd, hirwallt a'i gwên odidog yn goleuo'r lle. Dwi'n hen law, wedi'u gweld nhw i gyd, ond Iesu, os yw hon yn gallu canu gystal ag mae'n edrych, r'yn ni wedi taro'r jacpot, meddyliais.

Roedd Eryl yn gyffro i gyd ac wedi cymryd ati'n fawr! Dyma ddechre ar y gwaith, ac roedd yn dda. Ro'n ni'n dau yn y stiwdio yn canu rhanne lleisiol gyda'n gilydd ar ddau feicroffon Neumann gwahanol ac roedd popeth yn mynd yn dda. Trîtiais i bawb i ginio yn y Newborough Arms, Bontnewydd. Roedd hi'n rhwydd sgwrsio â hi, yn rhydd iawn ei hysbryd, yn barod i daflu syniade o gwmpas. Roedd ganddi ei band ei hun a oedd, 'run peth â hi, wedi cael addysg yn y brifysgol, nid ar yr hewl fel fi! Ro'n nhw'n chware alawon jazz yn ogystal â chaneuon Lleuwen ei hunan.

Cawson ni lot o hwyl. Roedd rhyw hud rhyfedd yn perthyn iddi, fel petawn i'n ei nabod hi ers blynydde. Gofynnodd i fi fynd yn ôl y nosweth 'ny i lle roedd hi'n byw, ar stad breifat plasty mawr ym Mhenmon. Dylwn i fod wedi mynd ond dwedais 'na'. Roedd gwaith paratoi i'w neud ar gyfer y recordio y diwrnod wedyn a bydda i'n blino ar ôl sesiwn recordio hir. Saith ar hugain oed oedd Lleuwen bryd 'ny, ym mlode ei dyddie, a finne'n hen ddyn chwe deg pump ac angen cwsg!

Gwnaeth Lleuwen ail fersiwn o lais cefndir Heather, a dyna beth oedd ar yr albwm a alwais yn *Icarws*, yn ogystal â llais Jaci Williams a Heather Jones. Cymerodd hi dipyn o amser i gymysgu'r tracie ac, yn y diwedd, llais Jaci o Fethesda sydd ar y rhan fwya ohonyn nhw. Mae gen i hen ffrind o Gaernarfon, Sam Roberts, dringwr rhyngwladol mawr sydd hefyd yn barcuta, a rhoddodd e lun campus o'r awyr i ni ar gyfer clawr y CD roedd e wedi'i dynnu rywle yn y stratosffer ar fachlud haul! Roedd yr albwm wedi'i orffen ond hyn, heb yn wbod i mi, fydde dechre rhywbeth llawer mwy simsan nag *Icarws*. Weithie, dwi'n rhyfedd o ddiniwed a gall hyn fy arwain i oleuni a thywyllwch fel ei gilydd. Dwi'n colli hunanreolaeth ambell waith ac mae synnwyr cyffredin yn mynd mas drwy'r ffenest. A dyna lle ro'n i – mewn lle anial, gyda merch bert ar lan afon Menai a'i draeth preifat ger Biwmares – y môr o'n blaene ni a mynyddoedd mawreddog Eryri yn codi i'r awyr gymylog. Roedd hi'n dywydd uffernol, yn bygwth gwyntoedd cryf, glaw diddiwedd, a thywydd gwyllt bron bob dydd.

Lleuwen a Waldo

Lleuwen yn dysgu canu’r gitâr

Roedd Lleuwen yn dysgu canu'r gitâr a gallwn ei helpu dipyn. Mae Lleuwen yn ddeallus iawn, yn graff ac yn deall pethe'n glou. Ar ôl diwrnod neu ddau es i'n ôl i Gaerdydd, a rhoddodd bàs i mi i orsaf Bangor yn ei char bach Smart rhyfedd – fel un o'r *bubble cars* o ddiwedd y pumdege ond bod pedair olwyn iddo. Gallai fynd i Gaerdydd ac yn ôl, medde hi, ar werth pymtheg punt o betrol. Addewais fynd yn ôl yn fuan ac addawodd hi 'nghyfarfod i pan fyddai'n dod i Gaerdydd.

Ro'n i'n falch o fod ar fy ffordd adre, rhag ofn bod y plant wedi llosgi'r tŷ i'r llawr. Roedd gen i gopïau bras o *Icarws* i wrando arnyn nhw, rhan o'r broses o gynhyrchu CD. Dyma'r ffordd mae'r rhan fwya o gynhyrchwyr yn gweithio. Byddwn i'n gwrando'n astud ar y tracie ar beiriant CD, casét neu radio rhad. Mae'n rhoi atgynhyrchiad sylfaenol iawn o'r recordiad na chlywch chi ar system sain soffistigedig mewn stiwdio. Mae pob peth yn swnio'n wych trwy uned sain Tannoy anferth. Er bod uned sain lai y gallwn yrru'r sain drwyddi i gael argraff o stereo cartre, chwaraewr radio CD bach fydd yn rhoi'r syniad gore o sut sŵn fydd ar y caneuon pan gân nhw eu chware ar y radio. Ro'n i'n nabod cynhyrchwyr yn Llunden, Efrog Newydd a Los Angeles yn y chwedege a fydde'n trosglwyddo cymysgiadau bras o'r stiwdio i dderbynnydd radio mewn car ac yn gyrru o gwmpas y ddinas fel y gallen nhw glywed yn union sut y bydde'r trac i'w glywed i'r gwrandawyr. Mae sŵn bas ar uned sain mewn stiwdio yn gallu twyllo'r glust a chwythu'r *speakers* bach yn ffluwch!

Ces i flas ar recordio a chymysgu *Icarws* ond mae hi wastad yn frwydyr yn erbyn y cloc, a blinder. Pan fydda i'n dechre teimlo'n flinedig bydda i bob amser yn rhoi stop ar y sesiwn ac ailddechre am ddeg o'r gloch fore trannoeth. Roedd gweithio gyda Lleuwen yn llai blinedig, ac yn brofiad pleserus. Yn ddiweddarach es yn ôl i ogledd Cymru i wneud ailgymysgiad ac aros gyda Lleuwen ym Mhenmon. Roedd gan ei thŷ olygfa fendigedig dros y Fenai trwy ffenestri pictiwr anferth ac roedd y lle'n llawn llyfre, offerynne cerdd a recordie – rhai jazz gan mwya. Roedd ein perthynas ni wedi'i seilio ar gerddoriaeth hardd, cerddoriaeth gefndir.

Roedd hi newydd ddarganfod *Back to Black* Amy Winehouse, a hefyd cantores o Lydaw, Nolwenn Korbell, ro'n i'n gyfarwydd â hi gan fod ei theulu'n ganwyr gwerin enwog. Bu Nolwenn, cantores bert, yn caru gyda Twm Morys sy'n arwain y band gwerin Cymraeg, Bob Delyn a'r Ebillion. Mae ganddyn nhw fachgen bach hyfryd. Ond mynd i'r gwellt wnaeth eu perthynas yn anffodus. Roedd Lleuwen yn brysur yn chware gigs o gwmpas Cymru ac yn Llunden. Roedd ganddi slot perfformio mewn gwesty yn Llandudno hefyd a phianydd yn cyfeilio iddi ar biano cyngerdd. Es yno un noson ac roedd hi'n gamstar ar hynny hefyd! Roedd y Chardonnay yn hyfryd hefyd, os cofia i'n iawn!

Un diwrnod aethon ni am dro yn y car i Eglwysbach ger Llanrwst. Roedd Lleuwen wedi prynu bwnshed o flode, a pharciodd y car ar bwys yr eglwys fach. Bu'n byw yn Eglwysbach gyda'i chyn-gariad cyn iddi fynd i Goleg y Drindod, Caerfyrddin, ond yn drist iawn bu farw mewn tân yn eu tŷ yno. Roedd Lleuwen yn Gristion pybyr ac roedd hi'n hala lot o amser yn gweddïo dros bobol, a heddwch a phopeth fel'na. Byddai'n gweddïo drosta i. "Dwi'n anffyddiwr," meddwn i. Ond byddai'n dal i weddïo.

Penliniodd wrth fedd a gosod blode'n dyner arno. Yr enw ar y garreg fedd oedd 'Owain Selway B.A.' Arhosais yn y pentre am dipyn gyda fy ffrind Geraint Glynne Davies, sy'n aelod o'r band gwerin Ar Log. Yn ddiweddarach es i mewn tacsi i Landudno i ddal diwedd set Lleuwen yn y gwesty. Wedyn yn y car yn ôl i Benmon â ni. Diwrnod diddorol.

PENNOD 19

Love Songs

WEDI RHYDDHAU *ICARWS* dechreuais weithio ar y fersiwn Saesneg dideitl. Roedd hyn yn golygu recordio mwy o ganeuon, rhai yn newydd, wedi'u sgrifennu naill ai yn Stiwdio Sain neu wrth deithio gyda Lleuwen. Rhoddodd y caneuon newydd fwy o gryfder ac ehangder i'r fersiwn Saesneg. Roedd Lleuwen yn ysbrydoliaeth. Ailysgrifennwyd geirie, newidiwyd popeth, ac ro'n ni'n chware ac yn gwrando ar bethe newydd byth a beunydd. Roedd y rhan fwya o recordie Lleuwen yn rhai gan gantorese ifanc ond yn y car bydde Ella Fitzgerald, Louis Armstrong a Billie Holiday, Sarah Vaughan, Lena Horne, Fats Waller a Peggy Lee yn cael eu chware. Roedd Lleuwen yn benderfynol o gyrraedd safon uchel wrth fynd ar ôl cân newydd, cordie gitâr newydd neu anelu at berfformiad gwych. Bryd 'ny roedd ein perthynas ni yn y dirgel. Wedi'n cau mewn ym Mhenmon bydden ni'n sgwrsio, yn chware, yn sgrifennu caneuon newydd ac yn caru.

Ddes i lan â rhai gitare ardderchog o'r lle storio oedd gen i yng Nghaerdydd – modelau Gibson a Martin – a bydden ni'n eu chware nhw yn ei chartre bach glan môr, dafliad carreg o'r Fenai a'r tywydd yn gwaethygu drwy'r hydref ac i mewn i'r gaeaf. Roedd haid o wydde Canada yn pori ac yn cyplu yn y caeau o'n cwmpas. Ro'n nhw yno am wythnose, yn clegar, yn rhochian ac yn ffwrcho nes hedfan bant un diwrnod, cannoedd ohonyn nhw, a'u hadenydd anferth yn curo'r awyr. Wedyn yn codi'n gwmwl enfawr yn uwch ac yn uwch gan ffurfio siâp V gwyrthiol ac esgyn drwy'r awyr i'r gogledd-orllewin a'u magwrfeydd yng Nghanada. Doedd dim clem gen i bryd 'ny y byddwn i'n bwcio tocyn i fynd i'r un cyfeiriad!

Bu landlord y tŷ, 'Cynlais', sef Dr Roberts, oedd yn ddall, yn swyddog yn y fyddin yn yr Ail Ryfel Byd. Wedyn aeth i astudio Meddygaeth a mynd yn arbenigwr yn Harley Street. Ai'r un Dr Roberts ag sy'n un o ganeuon y Beatles? Dwi'n credu bod digonedd o arian gyda'r boi ac ar ôl marwolaeth ei wraig gosododd ran o'i stad ar rent am ei fod e isie cwmni.

Roedd asiant Lleuwen yn Llunden wedi trefnu taith iddi, rhywbeth fel gŵyl WOMAD (World of Music, Arts and Dance), ym Mecsico. Roedd wedi perfformio dramor o'r blân sawl gwaith ac roedd hi'n llawn cyffro. Buasai'n dda gen i fod wedi gallu mynd gyda hi ond ro'n i ar ganol cynhyrchu'r albwm Saesneg. Dim ond am ryw wythnos roedd hi oddi cartre a phan ddaeth yn ôl roedd ganddi anrheg hyfryd i fi – ponsio Mecsicanaidd lliwgar, un o fy hoff ddillad. Roedd hi wedi penderfynu prynu un o fy ngitare Martin, yr un D17 wedi'i gwneud o fahogani hardd. Maggi yw enw hon. Mae fy ngitare i gyd wedi'u henwi ar ôl merched. Blodwen yw fy Moon gynta, a wnaed gan James Moon yn Glasgow, wedi'i henwi ar ôl Mam-gu Solfach a'm magodd i. Mae gen i Martin 00028 o'r enw Betty, ar ôl fy mam. Mae Lleuwen yn dal i ddefnyddio Maggi ac mae hynny'n galondid i fi.

Cafodd Lleuwen nawdd gan Gyngor Celfyddydau

Cymru a phenderfynodd ddefnyddio'r arian i fynd i Lydaw. Roedd hi am ddarganfod mwy am ganu gwerin Llydaw ac isie byw yn Llydaw, a chafodd gynnig rhan mewn sioe gerdd fawr yno o'r enw *Telo*. Roedd Sant Teilo, o'r chweched ganrif, wedi arwain llwyth dros y môr o Gymru i Lydaw a hon oedd y stori ar gân a *son et lumière*. Roedd hi'n sioe fawr a Lleuwen gafodd y brif ran i ferch, a oedd yn dipyn o strôc gan mai ychydig iawn o grap oedd ganddi ar y Ffrangeg, a dim gair o Lydaweg.

Welwn i fawr o ddyfodol i'n perthynas ni, er mod i'n caru Lleuwen. Pwy *na* fyddai'n ei charu, yn enwedig dyn chwe deg pump oed? Roedd gen i ddigonedd o gariadon, ond mae rhywioldeb rhywun yn newid gydag amser, yn fwy dramatig mewn rhai pobol na'i gilydd. Mae rhai, yn enwedig merched ar ôl rhyw oed arbennig, yn colli blas ar ryw yn llwyr. Dwi'n nabod merched oedd yn hollol rhemp cyn hynny – unrhyw bryd, unrhyw le, unrhyw ffordd, gydag unrhyw un! – ac wedyn, yn sydyn, maen nhw'n diffodd, ffwt! Mae dynion hefyd yn gallu bod yn ddidaro iawn am 'ny – colli diddordeb rhyfedd mewn merched a dwi'n nabod lot o fois nad y'n nhw'n becso dam am ferched. Mae rhai hyd yn oed, dyrned pitw bach diolch i Dduw, yn mynd i gasáu menywod.

Roedd Lleuwen yn fy ngadael ar ben fy hunan eitha tipyn. Dwi'n credu ei bod hi'n camddeall a chamddefnyddio'r geirie 'cariad' a 'caru'. Mae hi'n fyrbwyll iawn: un bore ym Mhenmon deffrodd fi a dweud yn llawn cyffro, "Gad i ni briodi". Ro'n i jyst â mynd drwy'r to! Roedd hi isie codi'n syth, gwisgo, a gyrru i Gretna Green yn yr Alban i briodi yn yr hen efail. "Sdim rhaid mynd i Gretna Green dyddie 'ma," meddwn i. Isie'r ddrama roedd hi ond do'n i ddim yn meddwl y bydde 'ny'n ddramatig iawn – gyrru i dre ddi-nod yn Iseldir yr Alban mewn car Smart. Gallai'r drafford fod yn ddigon i'r car bach. Doedd mynd i Lunden yn y Smart yn ddim trafferth iddi, ond doedd e ddim yn gar saff i gael damwain ynddo fe! Cig slwtsh ar ochor yr hewl, diwedd y gân go iawn!

Doedd hi ddim yn hoffi i fi fynd i'w gigs hi. Ro'n i'n teimlo fel rhyw hen ddyn yn llechu yn y cysgodion a hithau'n promenadio fel *prima donna* o un sbotole i'r llall. Roedd y daith ar ben, canodd y rhybudd yn fy mhen a daeth synnwyr cyffredin yn ôl. Ro'n i wedi bod drwy hyn o'r blân, gyda Gwenllian, ac roedd hynny wedi torri 'nghalon!

Ym Mhenmon y treuliwn i'r rhan fwya o'r amser, yn aros am Lleuwen oedd erbyn hyn wedi bachu swydd gyda Menter Môn, un o fentrau'r pwyllgor addysg lleol, i ddysgu cerddoriaeth fodern i sêr ifainc. Byddai'n mynd o gwmpas ysgolion yn annog cryts i ddial ar eu hofferynne cerdd bach diniwed. Ro'n i'n dal i weithio ar yr albwm Saesneg ond doedd fawr o hwyl ar bethe. Roedd fy meddwl i'n bell – diawl o beth yw bod yn ddryslyd a'r teimlade'n gymysg i gyd yn fy oedran i. Mae poen corfforol yn haws o lawer i ddelio ag e. Fi, wrth reswm, oedd wedi claddu twll i fi fy hunan. Ddylwn i ddim fod wedi mynd i'r gwely gyda hi yn y lle cynta, heb sôn am gyd-fyw!

Roedd y ddau ohonon ni'n cwmpo mas fwyfwy o hyd, a'r un ohonon ni'n hoff o wrthdaro a dadle, yn enwedig hi. *Drama queen* oedd hi, yn gwneud ei gore glas i osgoi unrhyw wrthdaro. Roedd hi'n dal i fynnu ei bod hi mewn cariad â fi ond, yn y dirgel, cynllunio i'w gwadnu hi am Lydaw ar arian nawdd Cyngor y

Celfyddydau roedd hi. Felly, yn y diwedd, dyma gytuno'n gyfeillgar fod ein carwriaeth yn mynd i'r gwellt a bod rhaid iddi ffeindio cariad arall – Llydawr iau na fi. Dyna oedd y cadarnhad roedd ei angen arni, gwbod ei bod hi'n rhydd a mod i'n rhoi sêl bendith iddi ffwrcho pwy bynnag oedd hi moyn.

Ces wahoddiad ganddi i seremoni cyflwyno'r nawdd – digwyddiad rhyfedd gan Gyngor y Celfyddydau yn Neuadd Goffa'r Barri yn hwyr un prynhawn y tu ôl i ddryse caeedig. Perfformiodd Lleuwen set *cabaret* gyda'i band, derbyn ei siec, wedyn aethon ni i gyd i un o westai maes awyr Caerdydd am win ac wedyn i'r gwely. Drannoeth aeth hi'n ôl i ogledd Cymru i weld ei theulu ac yn fuan wedyn i Lydaw i ddechre ymarfer y sioe *Telo*. Ro'n i wedi symud o Benmon rai wythnose ynghynt ac yn ôl yn East Tyndall Street gyda'r plant.

Ond doedd dim stop ar y galwade ffôn. Bydden ni'n siarad yn amal ar ein ffone symudol pan oedd hi yn Llydaw. Roedd Lleuwen bob amser yn ffonio dair neu bedair gwaith y dydd, isie i mi fynd draw yno, ond pam? Ro'n i'n falch mewn ffordd ac, yn groes i'r graen, es i draw sawl gwaith a chael fy nghyfarch yn llawn angerdd a lot o ryw. Roedd hi wedi cael ambell ffling, medde hi, ond dim boddhad o gwbwl. Weithie roedd hi isie plentyn, dro arall doedd hi ddim, ond roedd ganddi filgi bach o'r enw Waldo, cannwyll ei llygad, a oedd hyd yn oed yn cysgu gyda hi – iawn, os nad yw ci yn y gwely'n eich poeni chi. Bydden ni'n teithio tipyn pan awn i draw i Lydaw, mynd i wersylla, aros mewn gwestai, neu aros yn y fflat yn Douarnenez lle roedd hi'n byw yn ystod ymarferion *Telo*. Ond ar fy mhen fy hunan ro'n i eto drwy'r dydd ac weithie drwy'r nos tra oedd Lleuwen yn mynd drwy'i phethe. Ro'n i wrth

Harbwr Douarnenez

Clawr albwm *Love Songs*, 2010

fy modd yn ishte ar y cei yn Douarnenez bob dydd yn gwylio'r llanw a'r trai, a'r llanw eto. Roedd hi'n dywydd braf a ches i liw haul.

Ond ro'n i dan draed; roedd hi isie i mi fod yno a doedd hi ddim, a do'n i ddim wir isie bod yno, er mod i mewn cariad â hi. Anamal iawn y mae perthynas rhwng cariadon hen ac ifanc yn gweithio ac, yn y pen draw, ro'n i'n falch o wbod y bydden ni, ryw ddydd, yn rhydd o'r teimladau dirdynnol hyn. Mae Lleu a fi'n debyg iawn, a basen ni'n siwtio'n gilydd i'r dim oni bai am y gwahaniaeth oedran mawr. Doedd neb ar fai, dim ond amser, a dyna'r gwir.

Roedd yr albwm Saesneg, bellach dan y teitl *Love Songs*, ar fin cael ei ryddhau ac es i'n ôl i Gymru i hybu'r record. Mae *Love Songs* yn cyfleu hynt a helynt Lleuwen a fi i'r dim. Mae popeth, hyd yn oed y clawr, yn adrodd ein hanes – *blue, bloooooooooo, boo-hoo*. Mae ysbrydoliaeth Lleuwen i'w glywed ar bron bob trac.

PENNOD 20
Dal i ddal i fynd

CWRDDAIS Â LLEUWEN ddwywaith ar ôl 'ny, y tro cynta yng ngŵyl wych Celtic Connections yn Glasgow ym mis Chwefror 2009. Roedd hi draw yno gyda Vincent, Ffrancwr sy'n chware'r bas dwbwl iddi, a ffan mawr o Jimi Hendrix. Welais i mo'i pherfformiad hi ond ro'n i'n aros yn yr un gwesty â hi, fel mae'n digwydd (Jurys, ar bwys yr orsaf). Mynd i weld Jimmy Moon oedd gen i mewn golwg – un o'r gwneuthurwyr gitare gore yn y byd yn fy marn i. Jimmy wnaeth Blodwen, y gitâr ore fu gen i erioed, a dwy Jumbo J200. Alla i ddim canu clodydd gwaith Jimmy Moon digon. Dim ond fe, ei wraig Joan a dau foi arall sy'n gweithio yn y gweithdy bach ar Pollokshaws Road – stryd sy'n ddwy filltir o hyd!

Roedd popeth yn grêt pan gwrddodd Lleu a fi yn y gwesty. Cawsom noson a hanner ("Awn ni am sesh," medde hi dros y ffôn). A dyna wnaethon ni. Mae Lleuwen yn un am y Scotch ac ro'n ni yn y lle gore i'w yfed e. Dyma ni'n ffarwelio'n drist yn y bore ac i ffwrdd â hi mewn tacsi gyda Maggi Martin a Vincent a'i fas dwbwl anferth. Daliais i'r trên cyflym i Gaerdydd, taith o ddim ond chwech awr. Ffoniodd hi fi o faes awyr Paris a dweud bod popeth yn cŵl. Ac roedden nhw!

Y tro dwetha i fi gwrdd â Lleuwen oedd ar ddiwrnod fy mhen-blwydd eleni. Roedd hi'n ôl yng Nghymru i berfformio yn Galeri, yng Nghaernarfon. Cyn y cyngerdd, gwelais hi yng Nghaerdydd yng Nghanolfan y Mileniwm lle gwahoddwyd hi i ganu mewn cyngerdd Celtaidd roedd y Sbaenwr sy'n rhedeg Gŵyl Lorient yn ei hyrwyddo. Digwyddiad i dwristiaid oedd hwn yn benna, a bandie pibau o Lydaw mewn gwisgoedd cenedlaethol, a thelynor a dawnswyr o Gymru, a'r cwbwl yn siwgwrllyd ac yn wene ffals i gyd. Daeth Nolwenn Korbell i berfformio gyda hi ac ro'n nhw wedi ymarfer set Lydewig/Gymreig wreiddiol iawn. Ar y diwedd dyma nhw'n galw arna i i'r llwyfan heb air o rybudd ac fe ganon ni'n tri 'Cân Walter' – roedd y curo dwylo'n anhygoel a ninne'n ein dagre! Arhosodd Lleuwen gyda fi y noson 'ny.

Y noson wedyn ro'n ni'n ffilmio dros nos mewn coedwig ger Castell Coch. Bu'r ddau ohonon ni'n ymarfer cân newydd a chael hwyl arni, mewn awyrgylch sbwci iawn mewn coedwig wedi'i hôl-oleuo, yng nghanol môr o arlleg gwyllt. Ar ôl gorffen ffilmio, roedd pawb isie bwyd a diod bach, felly bant â ni i dŷ bwyta Indiaidd yn Nhreganna lle cododd Lleuwen ffrae. Ro'n i wedi siomi a bu raid i mi adael fy mwyd ar ei hanner a cherdded mas. Roedd y sefyllfa'n anobeithiol. Cyrhaeddais adre a mynd i 'ngwely yn grynedig iawn a dweud wrtha i fy hunan, "Be ddiawl dwi'n neud? Dwi'n sori mod i'n fyw!"

Tua awr yn ddiweddarach canodd cloch y drws – Lleuwen, yn ei dagre a'r holl rwtsh i gyd, felly aethon ni i'r gwely a chysgu'n sownd, wedi blino'n lân ar ôl diwrnod hir, caled a'r ffilmio gefen nos. Mae ffilmio ar leoliad i'r teledu bob amser yn straen – cymaint o bethe technegol, gorfod bod mor ofalus, pethe'n mynd o chwith ac yn cymryd amser.

Bant â hi ben bore i ddal y trên i faes awyr Lerpwl a dyna ni. Ymhen amser ffoniodd i ddweud ei bod wedi cwrdd â dyn trigain oed, oedd yn siarad Llydaweg, a'u bod nhw wedi penderfynu priodi.

Dwi wedi bod wrthi'n brysur yn sgrifennu'r llyfr yma ers sbel, felly daliais i fynd, a dal i sgrifennu, taro pethe ar bapur ar drenau, mewn barre ar hyd a lled Cymru ac weithie mewn gwestai. Bydda i'n sgrifennu ar ôl gigs yn orie mân y bore, mewn llefydd fel yr Anglesey Arms, Caernarfon, Nefyn yn Llŷn, i lawr yn Solfach a Thyddewi, mewn gwestai yn Llydaw ac ar longe fferi. Mae'r llyfr yn debycach i ddyddiadur na hunangofiant. Dyna fel mae hi.

Dwi gyda Elizabeth nawr ac ymddangosodd hi o ryw fyd arall fel angel gwarcheidiol. Os oes y fath beth â stori garu go iawn, hon yw hi. Daeth Elizabeth i'r fei ar ôl hanner can mlynedd yng Nghanada, sy'n hollol anhygoel. Dyma'r presennol, a'r dyddiadur wedi dod yn debycach i lythyr at ffrind mynwesol. Dwi ddim yn awdur o fri a finne wedi dechre sgrifennu mor hwyr yn fy mywyd ond dwi'n sgrifennu yn fy ffordd fach ryfedd fy hunan, am fy mywyd i fy hunan. Os yw e'n ddiddorol ac yn agoriad llygad i chi, popeth yn iawn. Daliwch i ddarllen mlân, os meiddiwch chi!

PENNOD 21
Priodas Wizz

YN HOLLOL DDIRYBUDD, yn 2005, dyma fy annwyl Wizz, fy merch hyna, yn cyhoeddi ei bod yn ailbriodi, â gyrrwr jac codi baw o'r enw Greg Morgan! Gofynnodd i mi hefyd, yn ostyngedig, a wnawn i gyfrannu at gost y parti priodas – mae Wizz yn dotio ar bartïon ac yn hoffi gwneud pethe'n iawn; dyna'i ffordd hi. Pan fydd Wizz yn lansio cwch mae'r cyrc *champagne* yn clecian fel bwledi, r'yn ni'n debyg iawn fel'ny. Pwy yw'r boi 'ma? meddwn i. Feddyliais i erioed y bydde hi'n ailbriodi a hithe'n ddeugain oed ac yn ymddangos yn ddigon da ei byd, yn magu mab a merch yn eu harddege, yn bridio merlod Cymreig ac yn aelod blaenllaw o'r clwb syrffio ac achub bywyde lleol ar draeth Porth Mawr (Whitesands Bay), Tyddewi. Roedd Wizz yn hapus iawn, a fi hefyd, felly. Anfonais siec am dipyn o arian ati, fel y gwnâi unrhyw dad cariadus.

Byddai'n briodas fawr – ffrogie crand, siwtie swanc, llond gwlad o flode a'r bobol bwysig i gyd yn eglwys plwy hynafol Dewi Sant yn Nhre-groes (Whitchurch) y tu fas i Solfach, ar hen ffordd y pererinion i gysegr Dewi Sant yn Nhyddewi, dair milltir i'r gorllewin. Fe es i a'r briodferch mewn limo Bentley gwyn a fu unweth yn eiddo i'r Fam Frenhines, Elizabeth Bowes-Lyon.

Ces i fy ngwahardd o'r briodas gynta gan ei mam, fy nghyn-wraig! "Paid â phoeni am Tessa," medde Wizz. Yn ôl pob sôn, roedd Wizz wedi dweud wrth ei mam petai hi'n codi unrhyw dwrw neu hyd yn oed yn mynd yn agos ata i, y bydde hi'n bersonol yn rhoi cic mas iddi. Fy unig obaith i oedd na fydde unrhyw beth yn digwydd i ddifetha'i diwrnod sbesial hi, a phetawn i'n synhwyro unrhyw drwbwl byddwn i wedi sleifio o'no'n dawel bach.

Rhentais fwthyn (rhatach na gwesty) ar gyrion Tyddewi yn ymyl y Caerfai Bay Hotel lle roedd y wledd briodas. Roedd lle i chwech i gysgu yn y bwthyn eang braf, gyda chegin a gardd gefen fawr a stafell wydr. Arhoson ni yno am bythefnos gan ei bod hi'n wylie ysgol ar y plant. Es i â'r gitâr a'r hen sgrepan, fel arfer. Roedd y plant wedi pacio sgrepanau yr un a bagie llai, byrdde sglefrio a dau bistol aer.

Gwahoddwyd llawer o fy ffrindie personol i i'r briodas, pobol roedd Wizz wedi cwrdd â nhw drwydda i – Alan a Fiona Fleming, Dave, Jean a Suzi Slade (ie, *y* Suzi Slade) a'n mab Erwan – a bron pob aelod o'r teulu a llawer o bobol nad o'n i'n eu nabod. Roedd Alan Fleming yn gwisgo'i drowser tartan ac roedd Albanwr arall yna mewn cilt a gododd fy ngwrychyn i yn nes mlân trwy ddynwared Elvis! Ie – Elvis mewn cilt! Doedd Colonel Parker ddim wedi meddwl am hynna!

Roedd llawer o'r gwesteion yn aros yn y Caerfai Bay Hotel lle roedd y wledd ac roedd Wizz yn gweithio fel lladd nadroedd. I'r gwesty aethon ni peth cynta'n y bore lle roedd Wizz a'r priodfab, y morynion priodas a'r lleill i gyd yn gwisgo. Yr holl ffŷs arferol – camerâu'n fflachio, *safety pins* ym mhob man, penne mawr, llond gwlad o goffi gyda brandi, sieris, todis wisgi, a'r manion amherthnasol arferol. (Ydyn nhw'n amherthnasol? Fydda i bron byth yn mynd i briodase. Dwi'n credu mai'r un ddiwetha fues i ynddi cyn hon oedd fy mhriodas fy hun yn 1971 – un o'r camgymeriade mwya wnes i yn fy mywyd!)

Ro'n i'n gwisgo siaced ginio ddu newydd, dici-bo a chymyrbynd du gyda *loafers* ysgafn Eidalaidd du. Ro'n i'n cario gormod o bwysau a mawredd, ac ro'n i'n debyg i un o dons y Mafia! Ffrog hir, syml, wen â chynffon fer oedd gan Wizz amdani; roedd hi'n bictiwr. Roedd y priodfab, y gwas priodas a'r tywyswyr i gyd mewn siwtie tinfain ac roedd dau was bach yn gwisgo trowseri hir du, cryse gwyn ffrils a gwasgode brocêd. Priodas fel mae priodas i fod i edrych, ac i ffwrdd â phawb wedyn i'r eglwys gan adael Wizz a fi ar ôl i aros am y Bentley. Fe ddaeth hwnnw ac i mewn â ni. "Awn ni am dro bach," meddwn i, "i gadw'r diawled i aros!" Ac i ffwrdd â ni, yn sidêt reit, yng nghar y Fam Frenhines, o gwmpas Sgwâr y Groes yn Nhyddewi, wedyn ar hyd y ffordd i Solfach a'r eglwys dair milltir i ffwrdd. "Hwde frandi, Dad," medde Wizz gan roi fflasg boced heliwr arian yn fy llaw i a phen cadno wedi'i sodro arni ac ynddi tua hanner poteled o Rémy Martin!

Pentre bach yw Tre-groes, dim ond tua dwsin o dai yn glwstwr o gwmpas llain y pentre o flân hen hen eglwys, rhan ohoni o'r chweched ganrif a golwg felly arni, pentwr o gerrig garw wedi'u glynu wrth ei gilydd â morter o'r Oesoedd Canol. Roedd Wizz wedi addurno'r drws Gothig â bwa enfawr o flode lliwgar a gwyrddni oedd yn cyferbynnu'n hyfryd â'r walie llwyd hynafol. Safai'r ficer, Cymro Cymraeg, wrth y iet a'i

Wizz yn priodi, Eglwys Dewi Sant, Solfach, 2005

Brynach a fi – y Maffioso!

Brynach a Flossi, merch Bethan

Feibl yn ei law a golwg ar bige'r drain arno; felly hefyd Wizz. Do'n i'n teimlo fawr ddim ar ôl yr holl *cognac* ro'n i wedi'i yfed ond roedd pob rhithyn o ben mawr y noson cynt wedi diflannu yn annisgwyl. Dwi ddim yn un am yfed o'r silff dop; rhaid i fi gymryd pwyll – It's gonna be a hard day's night!

Roedd Wizz wedi gofyn i Heather Jones ganu un o hoff ganeuon Mam wrth iddi hi a Greg dorri'u henwe ar y gofrestr, sef 'Merch o'r Ffatri Wlân' a sgrifennais yn y chwedege, a fi'n cyfeilio iddi ar Gibson 335 gwyn drwy amp bach. Wedyn, yn ôl â ni i'r gwesty, a dwsine o gamerâu digidol a ffone symudol yn fflachio. Roedd yna ffotograffydd swyddogol hefyd – ac yn nodweddiadol o Shir Benfro, fe oedd perchennog a gyrrwr y Bentley hefyd, ond bellach heb ei gap â phig; un o ffrindie sioeau ceffyle Wizz o dde'r sir oedd e.

Yn ôl yn y gwesty roedd popeth yn barod – pentyrre o gacenne a canapés a sosejis a thato potsh. Cafodd y vejis sosejis veji, chware teg i'r hen Wizzi! Dyma un o'r achlysuron 'ny pan fydd rhywun yn cwrdd â hen ffrindie, pawb yn joio mas draw, ddim yn mynd dros ben llestri'n llwyr, jyst yn cael hwyl ac i'r diawl â'r canlyniade!

Roedd Wizz wedi llogi DJ, band roc lleol a cherddorion eraill ac fe ganes i gwpwl o ganeuon *blues* a thamaid o roc a rôl i gael pawb i ddawnso. Yr Elvis mewn cilt oedd y canwr yn y band lleol; roedd e'n boen yn y pen-ôl, ac roedd e'n amlwg yn lico clywed ei lais ei hunan. Gofynnais iddo ai ei briodas e oedd hi ond doedd e, yn ei fyd bach Elvis, ddim yn deall y jôc! Yn y parthe hyn does dim stop ar y slochwyr unweth ân nhw i hwyl, a phan gaeodd y bar tua hanner nos aeth pawb i'm bwthyn i rafio tan y wawr. Erbyn 'ny roedd llwyth o gyrff diymadferth ar y llorie a'r celfi. Ac yna, ar ôl dadebru tua hanner dydd, aeth pawb i'r Royal George!

Fuodd dim trafferth o gwbwl a chollodd neb ei fywyd, diolch byth, er bod y gwesty dafliad carreg o glogwyn serth, a'r môr yn rhuo gan troedfedd islaw. Y drafferth fwya ges i oedd bìl bar y gwesty. Roedd y slochwyr i gyd wedi rhoi eu diodydd ar fîl Meic!

Wizz, haf 2010

Morgan, mab Wizz

Caitlin, merch Bethan, a Deedee, merch Wizz

Alice, merch Megan

Megan, 2009

PENNOD 22

Sgarmes yn yr Old Cross Hotel

ROEDD DEN YN dal yn fyw adeg priodas Wizz a Greg, ac yn byw ddim ymhell i lawr y ffordd yn Nhyddewi, ond ddaeth hi ddim er iddi gael gwahoddiad. Wedi cael gormod o Smirnoff, siŵr o fod. Ond roedd hi'n gwbod mod i'n aros yn Nhyddewi ac yn hwyr ar y diwrnod ro'n ni i fod i adael fe ffoniodd hi. Ar y diwrnod 'ny roedd y plant wedi sgidadlan, a 'ngadael i yn y bwthyn i glirio'r annibendod ac i bacio. Trefnais i brynu cinio i bawb yn y Royal George a rhoi eu bagie iddyn nhw cyn mynd 'nôl i Gaerdydd. Roedd rhaid i mi adael y bwthyn y diwrnod 'ny ac ro'n i wedi cael stafell yn yr Old Cross Hotel, Tyddewi, am un noson. Ffoniodd Den fi tua phump o'r gloch i ofyn sut aeth pethe ac roedd hi isie fy ngweld i, felly gwahoddais hi i'r Old Cross lle mae tamaid go lew i'w fwyta. Cytunodd i'm cyfarfod i yno i swper. Ro'n i'n falch bod y plant wedi mynd – maen nhw'n gallu bod yn waith caled ac ro'n nhw, a rhai o'u ffrindie, wedi bod yn jolihoetan rownd y bwthyn bron bob nos, ar eu traed tan orie mân y bore, yn cysgu ar y soffas. Ges i ddiawl o drafferth glanhau a golchi'r holl dywelion a dillad gwely a chlwtynne llestri. Ond doedd dim difrod difrifol, trwy ryw wyrth. Bydde swper bach tawel, poteled neu ddwy, a noson dda o gwsg yn fy siwtio i'r dim.

Es i lawr i'r Farmers Arms fin nos i weld pwy oedd yno o blith cwmni'r noson cynt. Roedd Derek Rees yno, hen ffrind sydd wedi bod yn ffarmio yn Nhyddewi ar hyd ei oes ac a oedd yn y briodas, a chawsom ddrinc a sgwrs. Wedyn es i fyny i'r Old Cross i gyfarfod Den. Do'n i ddim wedi'i gweld ers peth amser. Cawson ni ddiod yn y lolfa cyn archebu bwyd a mynd i'r stafell fwyta. Dim ond un cwpwl arall oedd yno – doedd hi ddim yn dymor gwylie – mis Ebrill os cofia i'n iawn. Doedd neb arall yn y gwesty, dim ond barmed ro'n i wedi'i gweld o'r blân, morwyn fach oed ysgol, a *chef*, am wn i, er na welon ni mo'no fe. Dyma fwyta'r cwrs cynta ac wedyn cael stecen a photeled o win coch. Roedd tua deufis wedi pasio ers i ni gyfarfod ddwetha yng Nghaerdydd, felly roedd digon o siarad. Roedd arna i biti dros Den. Ro'n i'n siŵr nad oedd dyfodol i'n perthynas ni ac ro'n i'n falch mod i ddim mewn perthynas â hi. Doedd dim enaid byw i weini ar ôl i ni orffen y gwin, felly es i'r dderbynfa i chwilio am rywun. Dim ond y barmed oedd yno y tu ôl i'r cownter, felly gofynnais am boteled arall o win a'r fwydlen bwdin. Dwedodd wrtha i fod y bar wedi cau, felly chaen ni ddim poteled arall o win. Roedd hynny braidd yn od a hithau'n ddim ond deg o'r gloch. Roedd hi'n ymosodol iawn a dwedais wrthi mod i'n talu i aros yno dros nos ac y cawn i ddiod pryd fynnwn i. "Na," medde hi, "dim mwy o win." Erbyn hyn roedd hi wedi troi'n dipyn o ffrae; ro'n i wedi cael llond bol ac wedi dechre mynd yn grac. Es i'n ôl i'r stafell fwyta i roi gwbod i Den. Roedd Den yn nabod y ferch a dwedodd ei bod hi'n boen yn y pen-ôl. Wedyn gofynnodd a gâi hi aros dros nos felly aeth y ddau ohonon ni i'r gwely a chyn pen dim ro'n ni'n cysgu'n drwm.

Pan ddeffrais i, roedd hi'n dal i fod yn dywyll ac roedd y ffôn yn canu. Hanner awr wedi tri! Codais y ffôn ac medde rhyw lais, "Mr Stevens?"

"Ie," meddwn i.

Atebodd y llais, "Mae'r gwesty wedi'i amgylchynu gan heddlu arfog. Agorwch y drws a dewch mas â'ch breiche lan." Ro'n i'n hanner cysgu o hyd ac yn methu credu beth oedd yn digwydd; meddwl mai un o fy ffrindie oedd yn chware jôc.

"Ffonwch 'nôl mewn pum munud," meddwn i a rhoi'r ffôn i lawr. Roedd fy ffrind Al Jenks yn byw ar ochor arall y sgwâr, felly ffonais e ar fy ffôn fach.

"Be sy'n mynd mlân?" gofynnodd Al.

"Dim diawl o syniad," meddwn i.

"Edrych mas drwy'r ffenest," medde Al. Codais yn noethlymun ac edrych drwy fwlch yn y llenni. Roedd y sgwâr yn llawn ceir heddlu a'u goleuade'n fflachio. "Be ddiawl sy'n mynd mlân?" medde Al.

"Dwi newydd gael galwad ffôn 'da cops Abergwaun yn gweud 'tha i am ddod mas â 'mreiche lan."

"Be ddiawl nest ti?"

"Uffarn, Al, dim ond cwmpo mas 'da'r barmed dros boteled o win."

"'Sa funud," medde Al, yn llawn bywyd. "Mae fan fawr ddu newydd lando."

Saib. "Uffarn dân, achan, ffycin SWAT *squad* yw nhw, ti'n gwbod, y contie 'na mewn helmets a siacedi du! Uffarn dân, achan, ma 'da nhw *machine guns*!"

"Blydi hel!" medde fi. "Dala i watsio, Al, fi'n credu bod nhw wedi dod i'n aresto i."

Ffôn yn canu unweth 'to. Llais plismones.

"Mr Stevens, dewch mas â'ch breiche lan."

"Ie, iawn," medde fi, yn ceisio gwisgo dillad cyn gynted ag y medrwn i. Roedd Den wedi deffro bellach ac wrthi'n cuddio'r hash.

"Den, ni'n cael ein rêdo 'to." (Ro'n ni wedi cael ein rêdo o'r blân, am gyffurie, pan o'n ni yn y gwely yng Nghaerdydd, felly doedd hyn yn ddim byd newydd!) Gorffennais wisgo, a gallwn i glywed ci heddlu yn cyfarth yn y coridor, felly agorais y drws a sefyll yn ôl a 'nwylo ar fy mhen. Hedfanodd y drws ar agor led y pen a daeth dau blismon mewn du a helmedi am eu penne i mewn, gwasgode Kevlar amdanyn nhw, ac anelu pistole Browning yn syth at 'y mhen a 'nghalon.

"Rhowch y blydi pethe 'na i gadw," medde Den, oedd erbyn hyn yn ishte yn borcyn yn y gwely yn dangos pâr godidog o fronne!

"Ca dy ben, Den, ma hyn yn *serious*," medde fi, wrth i'r trydydd comando mewn du roi gefynne am fy nwylo y tu ôl i 'nghefen.

Ces i fy archwilio, fy llusgo mas a fy martsio i lawr y stâr heibio i ragor o Ninjas a bleiddgi anferth yn cyfarth nerth esgyrn ei ben, mas drwy'r drws ffrynt, i lawr llwybyr yr ardd, a fy lluchio'n ddiseremoni i fan heddlu. Wedyn bant â ni, wyddwn i ddim i ble. Gyrru a gyrru. Ro'n i wedi colli trac o'r amser erbyn i'r fan stopio. Ces fy llusgo i faes parcio a fy martsio i beth o'n i'n credu oedd swyddfa'r heddlu. Diflannodd y rhyfelwyr mewn du mewn chwinciad a ches i fy martsio i lawr rhyw goridor a'm gwthio i gell lle roedd bync a phot piso, a ffenest fach â barie yn uchel ar un wal. "Be ddiawl yw hyn?" meddwn i'n uchel ond doedd neb i ateb, felly gorweddais ar y bync a mynd i gysgu.

Fore trannoeth aed â fi mas o'r gell gan ddau blismon i'r stafell gyfweld a'm cyhuddo o fod yn berchen ar ddryll. Dryll, pa blydi dryll? Doedd gen i ddim dryll, dwi erioed wedi bod yn berchen ar ddryll. Be oedd yn digwydd – *set-up*? Mae rhywun wedi 'ngwneud i'n fwch dihangol. Dyna oedd yn mynd drwy fy meddwl wrth i fi lofnodi ffurflenni mechnïaeth ac yn y blân. Ro'n i wedi neud 'ny o'r blân, ond pam a beth oedd yn digwydd? Yr unig beth oedd yn y stafell yn y gwesty allai fod yn anghyfreithlon oedd tamaid bach o hash, tua chwarter owns, ond doedd hynny ddim yn drosedd bryd 'ny; roedd gofyn llawer mwy na hynny i gael cyhuddiad o feddu ar gyffurie. Jôc oedd hyn, mae'n rhaid!

'Nôl yn y gell wedyn, ac aros ac aros, am orie ac orie, camu 'nôl a mlân yn aros i rywun ddod i roi esboniad. Ar un adeg ro'n i'n cerdded o gwmpas y gell yn canu pob anthem genedlaethol wyddwn i, wedyn ishte i lawr ar y bync a chanu llond gwlad o ganeuon y Beatles. Ro'n i wedi anghofio am y CCTV ar y wal – rhaid bod y cops ar ddyletswydd yn piso chwerthin!

Dechreuodd y gole yn y ffenest bylu ac allwn i ddim ond dyfalu faint o'r gloch oedd hi. Wedyn agorodd y drws a gofynnwyd i mi ddilyn plismon i stafell fach lle roedd bwrdd a chadeirie. Gwahoddwyd fi i ishte. Wedyn daeth dau gop gweddol ifanc di-iwnifform ac ishte gyferbyn â mi. Dwedodd y ddau mod i wedi fy nghyhuddo o fod yn berchen ar ddryll ac o fygwth saethu'r barmed ddiawl ro'n i wedi cwmpo mas â hi yn y gwesty!

"Beth yw'r holl gachu rwtsh 'ma?" meddwn i. "Does dim gair o wir yn hynna. Mae hyn yn ffycin jôc!"

Ond golwg wahanol ar bethe oedd ganddyn nhw neu fyddwn i ddim wedi cael fy nghloi ar fy nhin mewn blydi cell ddiawl!

Ar ôl cyfweliad hir (chi'n gwbod, fel y gwelwch chi ar y teledu ac mewn ffilmie) a'r ddau CID yn gwneud eu gore glas i 'nghael i gwympo ar 'y mai, sylweddolais gymaint o ffars oedd hyn. Roedd rhywun yn cael sbort am fy mhen i, heb os nac oni bai. Bant â nhw ar ôl awr neu ddwy ac aed â fi yn ôl i'r stafell gyfweld lle roedd dau blismon yn aros y tu ôl i gownter a chanddyn nhw bentwr o ffurflenni i fi i'w darllen.

Ces i fy nghyhuddo'n ffurfiol o fod yn berchen ar ddryll ac o fygwth saethu'r barmed! Roedd ffurflen yn cynnig mechnïaeth ar yr amod na siaradwn i â Den a oedd, medden nhw, yn dyst i'r erlyniad! Hefyd, ces fy ngwahardd o Dyddewi am dri mis. Roedd rhaid i mi lofnodi'r holl ffurflenni er mwyn mynd o'na. Ac felly y bu. Yn ddiweddarach rhoddodd yr heddlu fy eiddo'n ôl i mi, es i'r stesion a dal trên i Gaerdydd. Dwi ddim yn credu y gallai Sherlock Holmes ddatrys y dirgelwch!

Do'n nhw ddim yn caniatáu i fi gael fy nhwrne arferol o Gaerdydd, Martin Prouel, oedd hefyd yn hen ffrind, felly roedd rhaid i mi ddiodde rhyw gyfreithiwr o Hwlffordd. Fe fydde probleme'n siŵr o godi, gallwn i synhwyro hynny – roedd yr holl beth yn *bizarre*! Dros y blynydde dwi wedi nabod amryw o gyfreithwyr a bargyfreithwyr, rhai ohonyn nhw'n ffrindie ac, yn ôl y rhai y ces i air â nhw, fydde'r cyhuddiade hyn byth yn dal dŵr mewn llys yng Nghaerdydd. Felly ro'n i'n fwy amheus fyth. Ymhen hir a hwyr gollyngodd yr heddlu'r cyhuddiade gwreiddiol i gyd a'u newid i gyhuddiad o ymddygiad bygythiol. Roedd hyn yn ormod i fy ymennydd bach tila ymdopi ag e! Ro'n i wedi cael rôl mewn rhyw ffilm nad o'n i isie bod ynddi.

Am rai misoedd wedyn bu'n rhaid mynd i Hwlffordd dair neu bedair gwaith. Chawn i ddim mynd i Dyddewi na gweld Den. Roedd hi'n anghyfleus iawn a neb yn fodlon esbonio'r rheswm dros hyn i gyd. Des i i'r casgliad fod rhywun wedi fy ngwneud i'n gocyn hitio ond allwn i yn fy myw ddim deall pam. Mae crugyn o bobol ryfedd yn Nhyddewi. Jôc oedd y gwrandawiad ola. Barmed arall o'r Old Cross oedd un o dystion yr erlyniad, nad oedd yn agos at y lle ar noson y digwyddiad. Un arall oedd y barmed wreiddiol ro'n i wedi'i rhegi, a dyna'r cwbwl oedd e – hi'n gwrthod rhoi poteled o win i breswyliwr yn y stafell fwyta! Daeth y cops o hyd i gwpwl o Aberystwyth (gŵr a gwraig), tystion medden nhw. Weles i monyn nhw yno ond ro'n nhw yn y bar, mae'n debyg, ac wedi 'nghlywed i'n bygwth saethu'r barmed, merch o Gaerdydd. Nid yn y bar ond yn y dderbynfa y bu'r ffrae am y gwin a doedd dim un enaid byw yno ar wahân iddi hi a fi. Ar un pwynt, do, fe aeth hi i'r bar a dilynais i hi a'i rhegi hi ond welais i neb arall yn y bar chwaith.

Ar ddiwedd y gwrandawiad ola fe'm cafwyd i'n euog o ymddygiad bygythiol a ches ddirwy o bum can punt, a phum can punt o gostau ar ben 'ny. Rhaid bod pwy bynnag a 'ngwnaeth i'n fwch dihangol wedi chwerthin yn wan. Ond mae pobol fel'na wastad yn cael eu haeddiant yn y diwedd. Mae Duw'n gweithio mewn ffyrdd dirgel.

PENNOD 23
Gigs

WEL, MAE 'NA Ryan Giggs, sy'n fachgen o ddocie Caerdydd ar ochor ei dad – Danny Wilson, seren rygbi'r gynghrair ro'n i'n nabod ei deulu'n dda iawn pan o'n i'n fyfyriwr celf diniwed. Wedyn mae 'na 'gigs'. Dwi ddim yn gwbod pam mae pobol yn eu galw nhw'n gigs. Un peth dwi'n ei gofio o'r hen ddyddie jazz yw mai'r bobol gynta glywais i'n defnyddio'r gair gìg i ddisgrifio cyngerdd neu berfformiad – mewn tafarne'n benna – oedd yr hen jazzwyr. Wel, do'n nhw ddim yn hen, ond crwt un neu ddwy ar bymtheg o'n i bryd 'ny. Dwi'n credu i'r gair gìg afael wedyn gyda cherddorion yn gyffredinol a, bellach, mae offerynwyr cerddorfaol weithie'n galw cyngerdd symffoni yn gìg.

Mae'r gigs dwi wedi'u perfformio yn ormod i'w cyfri, felly hefyd y llefydd a'r gwledydd dwi wedi chware ynddyn nhw. Mae 'na gigs da a gigs gwael, gigs gweddol, gigs meddw (digon o'r rheini!) a gigs arian mawr. Fel arfer mae gigs teledu'n werth eu gwneud ac yn ddiweddar ces i ddau gan punt am chware mewn parti pen-blwydd. Dwi hefyd wedi chware mewn priodase. Un gofiadwy oedd priodas hardd a gwefreiddiol Lleucu Ffransis, mewn capel ym Mhencader, Shir Gâr, a Lleucu wedi gofyn i fi ganu dyrned o ganeuon tra o'n nhw yn y pulpud yn torri'u henwe ar y gofrestr.

Sdim asiant na rheolwr 'da fi, felly os oes unrhyw un isie i mi berfformio maen nhw'n cael fy rhif i gan Recordiau Sain neu rywun arall ac yn fy ffonio i. Sdim lot o asiante na rheolwyr yn y sîn gerddoriaeth yng Nghymru. Sdim eu hangen nhw a gweud y gwir, a sdim rhaid talu pymtheg neu ugain y cant iddyn nhw. Dwi'n lwcus, mae 'da fi griw mawr o ffans ac maen nhw'n dod yn ffyddlon i 'ngweld i'n perfformio bob tro, yn enwedig mewn gigs tafarn sy'n swnllyd iawn. Pan fydd pobol wedi meddwi, nid siarad y byddan nhw ond sgrechen a gweiddi, wedyn mae'n rhaid gofyn i brif reolwr y system sain droi'r sŵn lan yn uwch er mwyn boddi sŵn y gynulleidfa.

Ond dwi wedi gwneud ambell gìg fach gartrefol hyfryd. Mae ffrind i fi, Roland, yn rhedeg tafarn y Vale of Aeron ar bwys Aberaeron – Ystrad Aeron yw enw'r pentre, dwi'n credu – a gofynnodd e i fi a'r Brodyr Marx wneud gìg rhyw brynhawn dydd Sul. Pan gyrhaeddon ni, aeth â ni i stafell fel stafell fyw, nid un fawr iawn chwaith. A 'na beth od, yn Shir Aberteifi wnes i gìg arall gartrefol, ar ryw ffordd gefen i Lanbed. Dim ond Heather Jones a fi oedd yno gyda'n gitare acwstig mewn bar bach o flân tanllwyth o dân coed ynghanol gaea. Roedd y gole'n bert, diwrnod bendigedig a'r haul yn isel iawn uwch gorwel gorllewin Bae Ceredigion. Bythgofiadwy. I ffrind i mi oedd y gìg hwnnw, Richard Evans, sy'n ffan mawr ac yn gweithio yn y meysydd olew yn Nigeria.

Mae rhai o gigs yr Eisteddfod yn gofiadwy hefyd, ond mae llwyddiant ac awyrgylch mewn gigs Eisteddfod yn dibynnu ar y lleoliad. Bydda i bob amser yn cael llai o hwyl mewn Eisteddfod sydd mewn ardal ddi-Gymraeg o gymharu â rhywle yn Shir Aberteifi neu

Wynedd. Ond mae carafán yr Eisteddfod yn dal i deithio. Dwi'n gwirioni ar yr Eisteddfod ac yn cael blas mawr ar chware ar y llwyfanne o gwmpas y maes. Yr unig beth sy'n fy hambygio i yw bod y llwyfanne'n rhy uchel. Dwi ddim yn lico bod lan uwchben y gynulleidfa; mae'n teimlo braidd fel Nelson ar ei golofn – prin y gall rhywun weld y dyn bach ar y top!

Mae gigs yn Llydaw yn wych, a'r croeso'n chwedlonol. Yn amal bydde'r hyrwyddwr yn mynd â'r band a phwy bynnag oedd gyda ni i dŷ bwyta da ac roedd hynny'n grêt. Ble bynnag y bydden ni'n chware bydden nhw'n ein bwydo ni gynta, yng nghartrefi pobol ambell waith. A bydden ni bob amser yn cael rhywle braf i aros, mewn gwesty fel arfer. Nid fel'na y mae hi yng Nghymru. Yn y dyddie cynnar, cyfnod y Bara Menyn, bydden ni'n chware mewn neuadde a festris capel a phawb wedyn yn ishte wrth fyrdde hir yn yfed te a lemonêd ac yn bwyta brechdane a chacenne cartre, yn union fel parti ysgol Sul. Ond mae pethe wedi newid erbyn hyn!

Gìg yn y Cŵps, Aberystwyth slawer dydd

Cyngerdd Arian Byw, 1985

(llun: Gerallt Llewelyn)

Yn y Trewern Arms, Nanhyfer, yn Shir Benfro roedd fy gìg talu cynta, lle bydden nhw'n arfer cynnal *dinner dance* ar nos Wener a nos Sadwrn i'r crachach lleol. Roedd hyn yn lot o hwyl – fel bod ar ein gwylie – a chaen ni aros yn y gwesty. Ar y pryd ro'n i'n chware gyda'r diweddar Kevin Westlake, drymiwr disglair ers pan oedd yn un ar bymtheg oed. Pan oedd yn ddwy ar bymtheg aeth i Lunden i fentro'i lwc yn y byd cerdd a'r gìg cynta gafodd e oedd drymio i Little Richard ar daith ym Mhrydain ac Ewrop – sôn am fedydd tân! Yr aelod arall o'r triawd oedd fy hen fyti John Griffiths, o Garnhedryn ger Solfach, a oedd newydd ddod mas o'r RAF. Roedd ci mawr du yn y Trewern a oedd yn yfed peints o gwrw. Flagon oedd ei enw!

Dwi eisoes wedi neud ambell gìg yng Nghanada, mewn rhyw lefydd bar/tŷ bwyta. Fel arfer mae'n rhaid gyrru i'r llefydd hyn, sydd fel tai tafarn ar ymyl yr hewl. Mae pobol yn mynd yno fin nos i fwyta, ac wedyn mae cerddorion yn dod i roi adloniant – cerddoriaeth werin gan amla, stwff tawel, a rhywfaint o ganu'r felan. Caiff unrhyw un godi ar ei draed i berfformio yn rhai o'r gigs 'ma. R'ych chi'n gadael eich enw gyda'r trefnydd, sy'n rhoi slot perfformio tair neu bedair cân i chi. Os yw'r gynulleidfa'n joio, gewch chi ganu mwy, ac mae rhyw naws annwyl, gyfeillgar a chartrefol i'r holl beth.

Pan af i Ganada, ychydig o ganu wna i. Dwi isie recordio caneuon y felan, ond peintio fydda i fwya. Dwi'n paratoi arddangosfa i Blas Glyn y Weddw yn Llanbedrog ac mae gen i lot o waith i'w wneud.

PENNOD 24
Y Miwsos

FYDDE'R STORI 'MA ddim yn gyflawn heb sôn am 'Y Miwsos' – rhai o'r cerddorion gwych dwi wedi bod yn ddigon lwcus i chware gyda nhw, teithio gyda nhw a rafio gyda nhw yn ystod fy mlynydde yn y byd cerdd, naill ai mewn sesiwn mewn bar, ar lwyfan, yn recordio, mewn gwylie, neu dim ond jamio yn nhŷ rhywun gyda mwg drwg a gwin. Roedd y sesiyne mewn fflat, tŷ neu ardd gefen yn eitha cyffredin, ac maen nhw'n dal i fod. Bydd Santos a fi'n amal yn taro ambell donc yn nhŷ Diana yn Nhreganna neu, pan mae'n braf, mas yn yr ardd. Mae'n dwyn i gof ddyddie'r hen grŵp sgiffl yn Solfach yn 1956 pan fydden ni'n cynnal ein sesiyne yng nghegin Blodwen (fy annwyl fam-gu), neu mewn hen gwt ieir ar Ben Graig yn edrych dros harbwr Solfach ac weithie mewn lloches fysys haearn ar ffordd Tyddewi, jyst tu fas i Solfach. Y rhain oedd fy mhrofiade band cynta – canu'r felan, canu gwerin a rhywfaint o roc a rôl. Gitare, organau ceg, casŵs, banjos, bwrdd sgwrio a bas dwbwl cistiau te oedd ein hofferynne ni a dyna beth oedd ein hwyl ni ar ddiwedd y pumdege.

Fy hen fytis sgiffl o Solfach oedd Bill ac Al Young, fy nghefnder Byron Davies yn canu'r bas cist de a'r gitâr, a Huw 'Yachty' Thomas yn chwip o chwaraewr bwrdd sgwrio yn gwisgo menig â tsiaen wedi'i phwytho ar flân y bysedd (tsiaen fflysho tŷ bach dwi'n credu). Dawns y regata flynyddol oedd ein prif gìg, tipyn o sbloets yn y dyddie 'ny. Ro'n nhw bob amser yn llogi band dawns a bydden ni'n cael chware yn ystod yr egwyl. Yn ddiweddarach daeth tro mwy difrifol i fy ngyrfa gerddorol a arweiniodd at fy swydd reolaidd gynta, gyda band jazz Mike Harries yn y No. 7 Club yng Nghaerdydd yn 1959. Ro'n i'n dwlu ar y gerddoriaeth a chware'r holl gordie jazz ar y banjo ond, fel un o ffans James Dean, doedd gen i fawr i'w ddweud wrth yr het bowler, y wasgod ddu a'r dici-bo.

Rhaid i mi sôn am y ddau foi oedd ar eu gwylie yn Solfach yn 1956 a ddysgodd fy nghordie gitâr cynta i fi: Clive Williams o Dreorci a Steve Glass o Dreforys, Abertawe. Yn ddiweddarach byddwn yn cyfarfod â nhw yn Llunden, yn chware ac yn perfformio gyda hufen y byd jazz a'r felan, rhai fel Ken Colyer, y canwr corned a aeth i New Orleans, Diz Disley, gitarydd jazz dull django, Long John Baldry – beth alla i 'i ddweud amdano fe? Fe wnaeth e ddarganfod a chefnogi mwy o sêr roc ac R&B nag unrhyw *impresario* – Elton John, Rod Stewart a Julie Driscoll i enwi dim ond dyrned. Byddai'n cael gigs a chyflwyniade i ni, heb godi ceiniog o gomisiwn erioed wrth gwrs (jôc!).

Aeth Baldry â fi i'r llefydd cerddoriaeth yn Llunden a Pharis pan o'n i'n grwt. Bu farw Baldry yng Nghanada rai blynydde'n ôl. Wedyn daeth y canwr gwerin o'r Alban, Alex Campbell, a'i bartner, y canwr banjo Derroll Adams o Portland, Oregon. Mae'r ddau, 'run fath â Baldry, yn byw ym mharadwys, lle tebyg i Big Rock Candy Mountain. Mae Spike Woods, un o'r pigwyr gitâr cynta yn Lloegr, yn mynd yn ôl mor bell ag Archie Fisher o Gaeredin a ddysgodd Bert Jansch. Cwrddais â Spike pan oedd yn gweithio ar Fferm Ynys Dinas, ger Trefdraeth yng ngogledd Shir Benfro, ac roedd yn un o ffrindie Ann Briggs o Nottingham. Cwrddais â Martin Carthy yn The Loft, tŷ coffi yn West Hampstead, yn 1962. Do'n i ddim yn gallu ei ddilyn e ar y gitâr achos roedd ganddo capo symudol Hamilton.

Ddysges i bygyr ôl gan Dominic Behan, meddwyn cas oedd yn rhy hoff o sŵn ei lais ei hun. Ond dyma rai o'r miwsos eraill: Packie Manus Byrne, brenin y chwisl dun yn ei ddydd, a fyddai'n cynnal cyngherdde ar hap ar fysys yn Llunden; Davy Graham, oeraidd, hunanol, ecsentrig, a chwil ar gyffurie; gang Le Cousins, oedd heb fod obutu'r lle gymaint â fi (ro'n i'n fwy swil na Bert Jansch yn y dyddie 'ny ac yn ei chael hi'n anodd codi sgwrs â dieithriaid); Joan Kelly, cantores ore'r felan ym Mhrydain, yn fy marn i; Spencer Davis, dwi'n ei nabod ers dyddie'r ysgol gelf, a'r gitâr ddeuddeg tant gynta i fi 'i gweld erioed; Steve Winwood, Gordon Jackson, John 'Poli' Palmer a Jim Capaldi, criw Caerwrangon, a ffurfiodd Traffic yn ddiweddarach; Gary Farr, llais fel angel, a ddysgodd ganu telyn y felan gan Sonny Boy Williamson (a'i ddysgu i slochian hefyd, yn ôl pob sôn). Roedd Gary a fi fel dau frawd a gallwch glywed rhyngweithio naturiol hyfryd ein gitare ar ei albwm solo cynta, *Take Something With You* (Marmalade Records); ei fêts yn Llunden, The Action; wedyn Mighty Baby, Roger Powell (Quelch), Ian Whiteman, Mike Evans (Bam-Bam), Ace y gitarydd bas, a Martin Stone, boi tebyg i Gandalf; Ian Chisholm, oedd yn gamstar ar gitâr y felan ym Manceinion yn 1964–5; Eleanor Raskin, cantores a gitarydd o'r Bronx, Efrog Newydd, hefyd ym Mhrifysgol Manceinion. Roedd Eleanor yn un o griw Greenwich Village, oedd yn nabod Dave Van Ronk, Joan Baez, Bob Dylan a'r trwbadwriaid eraill oedd yn hongian obutu ym marre coffi, fflatie a chlybie Greenwich Village yn y chwedege.

Rhaid sôn hefyd am y cerddorion Indiaidd clasurol a chwaraeodd ar fy albwm Warner Bros, *Outlander*, yn 1970 – Keshav Sathe, y canwr tabla disglair, a chanu sitâr Dewan Motihar, o'r un safon â Ravi Shankar; John Mayer, a drefnodd yr offeryniaeth Indiaidd, ac a fu'n un o fyfyrwyr Yehudi Menuhin; Linda Lewis, ffrind Ian Samwell, merch fach o Jamaica a chanddi lais enfawr tebyg i Billie Holiday cyn bod Billie Holiday ei hun yn dod ar y sîn! Rhoddodd Linda fenthyg y rhan fwya o'i band The Ferris Wheel i fi. Yna Dennis Elliott y drymiwr ifanc, Bernie Holland, gitâr, George Sweetman (a hanner brawd Emile Ford), bas, a Mike Liston, neu Mike Snow fel y byddai'n cael ei nabod weithie, brodor o Lerpwl, canwr allweddelle ac un o gyd-oeswyr The Beatles cyn eu cyfnod yn The Cavern a The Iron Door Club. Hefyd Ian Samwell, gitarydd bas i fand gwreiddiol Cliff Richard, The Drifters, a sgrifennodd y record roc gynta a wnaed ym Mhrydain, 'Move It', hit mawr cynta Cliff. Ian 'Sammy' Samwell hefyd a'm cofrestrodd i gyda Warner Bros a chynhyrchu *Outlander.*

Yma yng Nghymru, Heather Jones, 'Y Llais' – Heather hawddgar. R'yn ni wedi cael hwyl a hanner gyda'n gilydd, a Geraint Jarman ei chyn-ŵr; Max Cole o Shir Benfro, Doc Watson Cymru, sy'n dal i fynd, yn barod i chware ar yr esgus lleia, unrhyw le, unrhyw bryd; Lynn Phillips, y gwreiddiol a'r mwya o rocyrs y Rhondda, boi swil arall, sy'n gas ganddo fod yn llygad y cyhoedd ond mae'n un o'r gore; Pino Palladino, dwi erioed wedi chware gydag e, ond mae e'n wych; a Pete Hurley, ro'n i mewn band gydag e am saith mlynedd, y Cadillacs; a Ray Ennis, a elwir yn serchus yn 'Alice' (meddyliwch am y Wlad Hud!). Mae Alice yn gallu chware unrhyw beth ar y Strat. Mae'r gwron Brian Breeze wedi chware ar nifer o recordiade gyda fi, ac r'yn ni wedi gwneud nifer o gigs dros y blynydde. Mae Brian yn gitarydd gwych, yn foi clên iawn, ac wedi bod o gwmpas ers oes pys, 'run peth â chriw Man o ardal Llanelli ac Abertawe; Deke Leonard, y diweddar Micky Jones, Clive John y canwr piano ac organ, a Martin Ace ar y bas. Ac yn ola, Geoff Coleman, brodor o Gaerdydd, un o'r gitaryddion *rhythm and blues* gore, gynt o'r band Redbeans 'n' Rice.

Yna'r drymwyr; mae gan Gymru ddrymwyr da – Tommy Riley, tad-cu holl ddrymwyr Caerdydd, o Sons of Adam ar ddechre'r chwedege i Redbeans 'n' Rice a aeth drwy sawl newid ddiwedd y chwedege a'r saithdege. Chwaraeodd Dodo Wilding gyda'r Cadillacs am flynydde ac roedd yn un o hoff ddrymwyr Lynn Phillips; Dai Tank, brawd arall o'r Cymoedd, un o golbwyr tryma'r crwyn cysegredig!; Mark Williams, sydd wedi chware ar y rhan fwya o fy albyms – wedi chware gyda fi ers bron i ddeng mlynedd ar hugain; Hefin Huws o Fethesda, sydd hefyd yn ganwr gwych, a Gwyn Jones o Maffia Mr Huws oedd hefyd yn chware'r drymie ym mand Tich Gwilym, Superclarkes.

Canodd John 'Rubble' Roberts y sacs tenor gyda fi ar un record a gyda'r Cadillacs. Canodd George Khan, canwr sacs anhygoel o Lunden, y tenor yn y band adeg y Farnham Sessions (y Cadillacs yn benna).

A'r pianyddion – mae digon ohonyn nhw. Richard Dunn, oedd hefyd yn un o gonglfeini Cynganeddwyr Geraint Jarman, sydd hefyd yn organydd gwych; Bernard Harding, dyna i chi dderyn, yn chware'r piano a'r organ fel Oscar Peterson, Errol Garner, Thelonius Monk a Jelly Roll Morton i gyd ar yr un pryd! Bu farw Bernard ar ôl syrthio yn feddw i lawr grisie bar Kitty Flynn's yng Nghaerdydd un prynhawn. Gwelais Bernard un tro yn syrthio i lawr grisie carreg y Municipal Club yng Nghaerdydd yn dal dau beint o Strongbow ac yn codi heb golli diferyn! Roedd ei angel gwarcheidiol gydag e'r nosweth 'ny!

Mae'r rhestr yn mynd yn rhy hir; mae mwy o enwe fyth yn dod i gof ond does dim lle iddyn nhw i gyd. Ond rhaid sôn am Howell Bines, y pianydd *stride* a *honky tonk* gyda'r Mike Harries Band. Triawd diymhongar yw fy mand i ers yn agos i ddeng mlynedd ar hugain. Weithie bydda i'n ychwanegu cerddor neu ddau arall, fel arfer i recordio neu i berfformio ar y teledu. Does dim enw ar y band, dim ond Band Meic Stevens. Mae'r gitarydd bas, Mark Jones, yn hen ffrind, a'r drymiwr Mark Williams sydd yn drwmpedwr clasurol a jazz ac wedi gwneud llawer o waith gyda bandie pres. Mae Anthony Griffiths, hen ffrind arall, bellach yn ffotograffydd enwog ac wedi cyhoeddi llyfre am Gymru; Alan Jenkins, sydd yn y byd cerddoriaeth werin ers blynydde, canwr a gitarydd gwych a chwaraewr banjo pum tant profiadol iawn. Mae Kevin Lewis, a chwaraeodd ar *Love Songs*, yn wych hefyd. Mae e ac Alan yn hanu o ochre Solfach. Mae'r cerddorion hyn i gyd wedi cyfoethogi 'mywyd i â'u cerddoriaeth. Mae rhai yn gerddorion proffesiynol y mae galw mawr amdanyn nhw, eraill yn perfformio oherwydd eu cariad tuag at gerddoriaeth. Mae ganddyn nhw i gyd un peth yn gyffredin, sef eu hymroddiad a'u cariad tuag at gerddoriaeth a'u hofferynne.

PENNOD 25
Tich Gwilym

Yn 2005 bu farw Tich Gwilym yn annisgwyl mewn tân, yn 54 oed. Yn Ysgol Ramadeg Tonypandy y cafodd ei addysg a gweithio wedyn mewn siop fwtsiwr pan adawodd yr ysgol yn un ar bymtheg oed. Ond roedd Tich Beck, fel y galwai ei hun, yn ymddiddori mwy o lawer mewn canu'r gitâr. Yn ôl y sôn, efaciwî yn y Rhondda yn ystod y rhyfel oedd mam Tich a phriododd löwr o Gymro. Daeth Tich yn ffrindie â rocwyr eraill yn y Rhondda, fel Lynn Phillips, a dyma nhw'n rhoi cynnig ar ffurfio band roc, gan ymarfer yn nhafarn The White Rock ym Mhen-y-graig. Bydden nhw'n arfer cerdded yn y brynie ym Mlaenau'r Cymoedd ac un noson, wrth gerdded draw tua Phont-rhyd-y-fen, lle ganed Richard Burton, roedd goleuade Cimla i'w gweld yn y pellter ac medde rhywun, "'Na enw da ar fand."

"Na, dim digon seicedelig," medde Phillips. "Beth am Kimla Taz?"

A dyna fu enw'r band er nad oedd yr un ohonyn nhw o dan effaith cyffurie ar y pryd! Cerddorion Kimla Taz oedd Tich ar y gitâr, Terry Lewis ar yr organ, Dave Watkins ar y drymie a Bob Watkins ar y bas. Roedd y band yn boblogaidd iawn yn ne Cymru yn y chwedege.

Yna, symudon nhw i Gaerdydd ac ymunodd Pete Hurley â'r band. Roedd ganddo wallt Affro anferth ac fe weithiai mewn swyddfa dreth ar y pryd, gan wisgo siaced *tweed*, slacs llwyd a sgidie call. Ro'n nhw'n byw mewn twll o le yn 57 Heol Colum, yn byw ar gawl colomennod, a llysiau wedi'u dwyn o'r gerddi a'r *allotments*. Aeth y band drwy sawl cyfnod ar ôl i foi o'r enw Paul Rogers ymuno, gan chware mewn tafarne a chlybie yn y Cymoedd a Chaerdydd, ond eu hoff gìg oedd un yn y New Moon Club y tu ôl i'r hen farchnad ffrwythe yn Yr Aes. Erbyn hyn, Vanilla Fudge, o Galiffornia, oedd hoff fand Tich. Yn y dyddie 'ny roedd ganddyn nhw i gyd wallt hir, trowser *flared*, crys blodeuog a siaced felfed, fel y Beatles a'r Stones.

Roedd Kimla Taz II erbyn hynny'n fand roc trymach o lawer, ac wedi recriwtio rhai o'r goreuon o blith rocwyr Caerdydd – Tich ar y gitâr, Paul Chapman hefyd ar y gitâr, Kenny Pegler, Dodo Wilding, Paul Rogers yn canu a Pete Lyn. Ro'n nhw bellach yn chware yn Lloegr, mewn llefydd fel y Granary ym Mryste. Erbyn 'ny, band cyffurie oedden nhw, yn enwedig mariwana. Galle rhywun sgorio owns o ddu o Nepal gan ddyn du o'r enw Roy Ali oedd yn byw yn hen dŷ Ivor Novello (doedd y plac glas ddim ar y wal y pryd 'ny) ar waelod Heol y Gadeirlan. Un noson ar ôl gìg yn Llanelli roedd y fan yn llawn grwpis. Roedd dwy ohonyn nhw'n gwrthod gadael y fan, felly dyma fynd â nhw'n ôl i'r Rhondda. Yn ddiweddarach, priododd Tich un ohonyn nhw, Heather, a phriododd Pete Hurley y llall, Diane.

Erbyn 1969 roedd y band yn cymryd LSD yn rheolaidd. Ymhlith bandie eraill o gwmpas

Caerdydd a'r Cymoedd ar y pryd roedd Spoonful (Mick Blanche), Universe, The Sect Maniacs (Gary Cooper, tad-cu Charlotte Church) a The Sons of Adam (Tommy Riley). Roedd gan The Heartbeats slot reolaidd yn Neuadd Ddawns Victoria, Parc Victoria, Caerdydd – Dave Edmunds, Roger Gape, Denny Driscoll. Roedd clybie gwerin wedi dechre dod yn boblogaidd mewn stafelloedd cefn tafarne. Merch o'r enw BJ oedd un o'r prif drefnwyr. Roedd asid (LSD) ar gael yn rhwydd a bydde'r rhan fwya o bobol yn tripio dros y penwythnos. Bydde gigs roc rheolaidd yn cael eu cynnal yn Ystafelloedd Paget, Penarth, ac Ystafelloedd Kennard, Heol Richmond, lle roedd band Dave Edmunds, Love Sculpture, yn fand preswyl yn 1968–9. Roedd y band roc asid Man ar daith – Deke Leonard, Martin Ace, Clive John a Micky Jones. Roedd y Stowe Hill Club yng Nghasnewydd yn lle poblogaidd. Bydden nhw'n chware'r Electric Circus ym Manceinion a hefyd yn mynd ar deithie rheolaidd i'r Almaen. Defnyddiais Tich ar sawl sesiwn stiwdio gan gynnwys *demos* hyrwyddo i gynhyrchiad theatr o'r opera roc *Dic Penderyn* yn y New Theatre yng Nghaerdydd.

Ar ôl i Kimla Taz chwalu ymunodd Tich â Lynn Phillips eto mewn band o'r enw Stilleto, yn chware gigs tafarne a chlybie yn ne Cymru. Roedd Pete Hurley a Paul Chapman wedi cyrraedd y brig gyda band o'r enw Lone Star a gafodd gytundeb gyda CBS Records. Ond arhosodd Tich yng Nghaerdydd gan chware gan mwya gyda band preswyl yn y Royal Oak ar Heol Casnewydd. Cychwynnodd hyn fel deuawd acwstig – y gitarydd a'r canwr arall oedd Phil Miniaux a ymfudodd i Ganada'n ddiweddarach gan adael Tich i fynd yn ôl at gerddoriaeth drymach, fel Hendrix.

Roedd Geraint Jarman yn astudio Drama yng Nghaerdydd. Roedd yn gwneud tipyn gyda fi a Heather ers rhai blynydde a phenderfynodd roi band ynghyd a recordio albwm i Recordiau Sain. Roedd Tich a Richard Dunn yn y band ac ymunodd Pete Hurley â nhw yn ddiweddarach. Roedd hyn yn ddechre cyfnod hynod yn hanes cerddoriaeth fodern Gymraeg ac fe sgubodd Geraint Jarman a'r Cynganeddwyr y byd cerddoriaeth. Gellid dadle mai nhw oedd y criw gore o gerddorion yng Nghymru, a chanddyn nhw ganeuon rhagorol gan Jarman ac aelodau eraill o'r band, Richard Dunn a Neil White, yr ail gitarydd. Rhoddodd y band yma y cyflog gore erioed i Tich a bydde sioeau teledu a gigs rownd y rîl. Roedd yn dal i chware yn y Royal Oak ar brynhawnie a nosweithie Sul a'r lle dan ei sang bob tro! Bydde gìg Jarman yn debycach i ŵyl roc, yn llawn dop, yn cynnig lot o arian a'r recordie'n gwerthu fel slecs.

Roedd y gynulleidfa Gymraeg wedi cymryd at Tich yn rhyfeddol, wedi gwirioni ar y pwtyn bach pum troedfedd a phedair modfedd, tene fel llinyn trôns, yn ei ddenims wedi colli'u lliw a chrys-T, gwallt hir, syth, brown yn hongian dros Fender Stratocaster goch a oedd, ar ôl ei phlygio i stac Marshall 200 watt, yn gweddnewid Tich yn dduw roc. Roedd pawb yn gwirioni ar ei dechneg anhygoel ac, fel Hendrix, roedd yn cyrraedd rhyw lefel aruchel. Aeth Tich â dull Hendrix ymhellach fyth a'r tyrfaoedd yn dod yn heidie i'w weld yn chware. Fe oedd y gitarydd enwoca yng Nghymru.

Ond roedd y bywyd roc a rôl wedi dweud ar fywyd

teuluol Tich, 'run peth â Jarman – y ddau wedi ysgaru ac yn jolihoetan fel dynion sengl, a'r ddau yn dal yn bur ifanc ar y pryd. Pan ddirywiodd Jarman fel canwr, yn rhy gynnar, oherwydd salwch neu ormod o gyffurie, ffurfiodd Tich y Superclarkes gyda'r gitarydd bas o'r band Budgie gynt, Burke Shelley. Roedd y Superclarkes yn fand eitha llwyddiannus ac ro'n nhw'n gigio ymhobman a'r lleuad gyda'u *roadie* ffyddlon, Mike Monk.

Ar 23 Medi 1999 cymerodd ail fab Tich, Dan, or-ddôs o heroin a bu farw. Ro'n i'n hen ffrind i Tich a gwyddwn fod hyn wedi effeithio'n fawr arno. Roedd helynt yn yr angladd pan ymosododd Hank, ei fab hyna, ar ei dad. Roedd yr holl beth yn drychineb a dwi'n credu i hyn fod yn ormod i Tich. Yn ddiweddarach, cyfarfu Tich â merch oedd yn athrawes biano a bu'r ddau'n cyd-fyw yn Nhreganna. Chwe blynedd ar ôl marw ei fab bu farw Tich hefyd trwy ddamwain. Aeth y tŷ ar dân a mygwyd Tich i farwolaeth.

Mae'n debyg fod Tich yn cysgu yn y llofft o dan y to, uwchben y stafell fyw. Cynheuodd ei ferch gannwyll fore trannoeth er mwyn cael gwared ar ddrewdod mwg y noson cynt, ac aeth hi i'r ardd i ddechre rhoi'r dillad drewllyd ar y lein. Wrth adael y drws cefen ar agor, chwythodd y gwynt a chydiodd dilledyn yn fflam y gannwyll. Roedd Tich druan yn cysgu'n sownd, doedd dim ôl llosgi arno o gwbwl. Damwain dwp. Bechod mawr. Fydd neb tebyg iddo byth. Nos da, Tich bach.

PENNOD 26

Nos da, ffrindie

CREADIGRWYDD FU WRTH wraidd y rhan fwya o 'mywyd. Daeth cerddoriaeth i fi yn gynnar a dwi wedi bod wrth fy modd yn canu i bobol erioed; yn gynta i fy nheulu pan o'n i'n ddim o beth yn Harbour House yn Solfach, wedyn yng nghôr yr eglwys yn bump oed a hefyd yng ngwasanaethe Capel y Bedyddwyr lle byddwn yn mynd yn lle Tad-cu a Mam-gu. Doedd Tad-cu ddim yn ddyn crefyddol. Cyn-forwr oedd William Henry, a weithiai fel saer llong yn ystod oes aur hwylio, Rhyfel y Boer a'r Rhyfel Byd Cyntaf. Roedd ganddo ei gredoau ysbrydol ei hun, heb deimlo angen crefydd gyfundrefnol (ddidrefen) a'i holl gachu rwtsh a ffydd ddall. Magodd ei feibion a'i ferch, fy mam, yn yr un ffordd, i barchu unrhyw beth oedd yn haeddu parch. Doedd dim nonsens, breuddwydion gwrach, eilunod na duwie, dim ond synnwyr cyffredin, doethineb mawr, llymder, cariad, diwydrwydd, parch aruthrol tuag at natur a gwybodaeth drylwyr amdani, a ffydd yng ngallu dyn i oresgyn unrhyw rwystr neu anhawster.

Gwraig symlach o lawer oedd Mam-gu, a'i byd hi'n troi o fewn i'r triongl rhwng hewl Tyddewi i Abergwaun, hewl Abergwaun i Hwlffordd, a hewl Hwlffordd i Dyddewi. Er bod ei thad yn hanu o Lanfyrnach ym mynyddoedd y Preseli, roedd Llanfyrnach mewn byd arall. Ond roedd hi'n credu'n gryf yn Nuw, Iesu Grist a'r byd a ddaw, a hynny'n effeithio dim ar ei chariad tuag at ei gŵr. Fe'm ganed i mewn tŷ cynnes ar lan y môr mewn rhan ddiarffordd o Gymru, i deulu cynnes, o ddynion a gwragedd parchus oedd yn gweithio'n galed. Doedd dim pwyse ar neb i gyflawni gorchest, dim pwyslais ar gyfoeth na hyd yn oed dyheu amdano. Ro'n ni'n deulu hapus mewn pentre bach anghysbell yng ngorllewin Cymru lle roedd pawb yn rhoi help llaw i'w gilydd, lle heb drosedd nac anhrefn na thrais disynnwyr, a rhaid i mi ddiolch am byth i bobol Solfach am yr hyn ydw i.

Gyda Gwenllian yn Solfach ar achlysur fy mhen-blwydd yn 60 oed

(llun: Gerallt Llewelyn)

Pan o'n i'n un ar bymtheg oed es i bant i astudio celfyddyd gain yng Nghaerdydd. Ond dysgodd Caerdydd beth wmbreth mwy i fi na sut i arlunio a pheintio llun. Caerdydd oedd y lle a'm trodd i'n gerddor ac yn gyfansoddwr. Diolch o waelod calon i Gaerdydd a phobol Caerdydd.

Trois i'n broffesiynol a gwneud fy record gynta ym Manceinion, dinas yn Lloegr oedd yn fwy ac yn symud yn gynt o lawer na Chaerdydd. Cawsom hwyl a hanner ym Manceinion, a diolch iddi.

A Llunden, hŵr Mamon, beth alla i ddweud amdani hi? Am ei phalasau, ei senedd a'i hamgueddfeydd, a'i thlodi. Rhoddodd hi hefyd help llaw i mi ar fy nhaith na wn i i ble.

A Paris, hen hŵr frwnt, hardd a cherddorol ar lan afon lydan Seine, a chanddi briodoledde tebyg i Lunden, ond iaith wahanol! *Vive la différence*. Ond mae hi'n dal i fod yn hen blydi hŵr.

Ond hŵr fach ddel yw Solfach, pentre fy mebyd a dwi'n ei charu'n angerddol ac yn ddiamod.

EPILOG
Mas o 'ma

Yn 1961 gadewais Goleg Celf Caerdydd, yn benderfynol o fod yn artist enwog ond ro'n i'n byw fel llygoden eglwys rhwng y jiawl (jazz a chanu'r felan) a'i gynffon (celf). Yn fy nychymyg, roedd fy mreuddwyd rywle rhwng Provence a Tahiti. Ond mewn realiti, rhywle rhwng Solfach, Caerdydd, Paris a Barcelona. Fodd bynnag, roedd sawl agwedd ar realaeth yn nofio yn fy mhen fel pysgod aur mewn powlen, yn ddi-ddal, yn fyrhoedlog ac yn anweladwy. Byddwn i'n potsian, yn peintio, yn braslunio neu'n sgrifennu llythyre at ferched ro'n i'n meddwl mod i mewn cariad â nhw. Cawn ddarn comisiwn bob hyn a hyn, peintio porthladd Solfach neu Eglwys Gadeiriol Tyddewi. Olew y byddwn yn ei ddefnyddio bryd 'ny a dwi'n cofio gwneud tirlun mawr o Fae Santes Non i ferch i swyddog yn yr RAF – roedd e'n un da hefyd.

Roedd bodio yn ddifyrrwch arall, rhwng swyddi labro tymhorol ar ffermydd lleol – tatws, ŷd, lladd gwair – a rhywfaint o beintio drysau a sièds a iete. Arian poced oedd hyn i gyd. Ro'n i'n dal i alw heibio hen lefydd myfyrwyr Caerdydd, clybie jazz Llunden, caffis gwerin Paris, Antwerp ac weithie Rotterdam. Doedd gen i ddim llefeleth i ble ro'n i'n mynd na beth fydde'n digwydd nesa, a doedd dim ots 'da fi. Roedd yn gyfnod od: mynd gyda'r lli o un lle i'r llall heb fecso am ddim a heb gyfrifoldeb yn y byd. Bydde *gourmet* yn taflu'r bwyd ro'n i'n ei fwyta i'w gi. Dwi'n cofio meddwl bod tships a saws cyrri a rôl caws a winwns yn fwyd pum seren, ac i helpu'r bwyd i lawr y lôn goch roedd Scrumpy, seidr drafft garw am swllt y peint. Byddai'n ein meddwi ni'n braf. Roedd cwrw chwerw rhad hefyd yn boblogaidd gan y criw jazz. Ro'n i'n synnu bod merched pert yn fodlon 'y nghusanu i, heb sôn am gysgu gyda fi – creadur oedd yn byw fel yr arch-drampyn Johnny Walker. Ro'n i'n casáu cael bath – unweth y mis, os 'ny – a phan fyddwn i'n newid fy socs, hefyd unweth y mis, byddwn i'n taflu'r hen rai yn y bin.

A mlân â fi ar drywydd celfyddyd a chreadigrwydd, ddydd ar ôl dydd heb fecso taten am y dyfodol, a fydde'n dod ar fy nhraws i ta beth. Yn 2008 canodd fy ffôn fach a gofynnodd llais dieithr ai fi oedd yno.

"Ie, pwy sy 'na?"

"Liz Sheehan sy 'ma."

Ro'n i wedi colli'r ferch annwyl honno yn 1962 pan ymfudodd ei theulu i Ganada. Yno roedd hi ers 'ny, wedi priodi, geni dwy ferch, ysgaru, wedyn byw gyda boi arall am ugain mlynedd. Roedd hi'n dal i fyw yn yr un tŷ ers deng mlynedd ar hugain. Rheoli gwersylloedd coedwigo fu'r ddau yn yr anialdir ac ynysoedd St Charlotte. Elizabeth oedd yr unig fenyw a gyrhaeddodd swydd mor uchel yn hanes coedwigo yng Nghanada. Brodor o Benarth oedd hi'n wreiddiol.

Trefnon ni i gyfarfod mewn tŷ bwyta yn yr hen adeilad tollau sydd wedi'i ailwampio ar hen ddoc Penarth. Ro'n i braidd yn bell fy meddwl, a llawer o helyntion yn digwydd ar yr aelwyd ar y pryd. Roedd hi'n gwisgo ffrog fach ddu, ac yn hawdd ei nabod yn syth. Safodd amser yn llonydd, un o'r munude annaearol hynny sy'n llawn *déjà vu* ac ysbrydion glân.

Arhosodd Elizabeth am sbel. Aethon ni i Shir Benfro gyda'n gilydd, i regatta Solfach, cael hwyl, hel atgofion; roedd hi'n troi yn ei hunfan, a finne hefyd. Weithie bydda i'n llithro i ryw gyflwr lled-ymwybodol, fel petai rhan ohona i wedi diffodd. Mae'n teimlo fel bod yn chwil ond dim byd tebyg i fod yn feddw! "Mae rhywbeth yn digwydd fan hyn!" Ac oedd wir, heb os nac oni bai! Welais i ddim digon ar Liz ar y daith 'ny; roedd ganddi gwmni ei hwyres un ar ddeg oed, Sarah, ac wrth gwrs roedd ganddi aelode eraill o'i theulu oedd yn dal i fyw yng Nghymru a Lloegr i ymweld â nhw. Ar ôl iddi hedfan yn ôl i British Columbia bydden ni'n sgwrsio ar y ffôn yn amal a sgrifennais ambell lythyr ati.

Rai misoedd yn ddiweddarach daeth yn ôl. Es i i faes awyr y Rhws i'w chyfarfod gefen nos ar daith ddiddiwedd mewn bŷs o Gaerdydd oedd yn cropian drwy Fro Morgannwg, a stopio ym mhob man. Roedd pawb ar y bŷs yn ddifanars, yn ddiamynedd; teimlai fel Nadolig, yn rhyfedd iawn.

Gwelais Liz yn dod, côt wlân ddu gynnes amdani, yn tynnu cês mawr ar olwynion. Roedd popeth yn iawn. Roedd hi wedi cyrraedd, ar ôl taith bedair awr ar ddeg o Vancouver drwy Amsterdam gyda chwmni awyrenne'r Iseldiroedd. Dyma ni'n mynd mewn tacsi i'r tŷ yn East Tyndall Street. Ro'n i wedi paratoi cinio a thra oedden ni'n bwyta gofynnais iddi pam ddaeth hi'n ôl mor glou. "Wedi dod i dy nôl di" oedd y cwbwl ddwedodd hi, a gwên wamal ar ei hwyneb.

Liz yn dal y gitâr a werthwyd am €10,000 mewn ffair offerynne yn Carhaix, 2010

Gofynnodd i fi fynd i Ddyffryn Comox, Ynys Vancouver, i aros ati. Mae bellach wedi ymddeol o'r gwaith coedwigo ond yn byw bywyd llawn iawn yn gwneud ei hoff bethe i gyd. Dychwelodd hi i Ganada, a dilynais i hi ym mis Ebrill 2010. Yna, wedi aros yn ei thŷ am fis, penderfynais y gallwn i fyw yno, felly dyma ni'n dechre gwneud cynllunie.

Dim plant y'n ni bellach – dwi bron yn chwe deg naw a Liz yn chwe deg pump ar Ddiwrnod Pearl Harbour, y seithfed o Ragfyr. Mae'r ddau ohonon ni wedi gweld y byd a go brin ein bod ni'n naïf. Y cwbwl mae'r ddau ohonon ni isie yw byw'n ddedwydd a bod yn greadigol hyd ddiwedd y daith. Mae gen i gomisiwn gan oriel Plas Glyn y Weddw yng ngogledd Cymru i baratoi arddangosfa o lunie, ffotograffe a chelfwaith arall ym mis Gorffennaf 2012. Bydd rhan

Tŷ Liz yn Nyffryn Comox

Y traeth o flân y tŷ

o'r arddangosfa yn bwrw golwg yn ôl, yn cynnwys hen lunie a hyd yn oed gwaith o 'nghyfnod fel myfyriwr. Awgrymodd Liz fy mod yn gwneud crynswth y gwaith yn heddwch a thawelwch ei chartre yn Courtenay yn Nyffryn Comox, Ynys Vancouver, sydd ar lannau'r Cefnfor Tawel ar arfordir gorllewin Canada.

Dyna'r cynllun, felly, ac o gael ffydd, gobaith, gweledigaeth esthetig ac o weithio'n galed, bydd popeth yn dwyn ffrwyth. Mae Liz yma'n awr. Hedfanodd drwy'r eira a chael mwy fyth ohono fe ar ôl glanio yng Nghymru! Dyma gyfarfyddiad cariadon ifanc, ond sy dipyn yn hŷn, wedi deugain mlynedd ar wahân, ac mae'n teimlade at ein gilydd yn syndod diderfyn i ni'n dau.

Ar ôl bywyd yn llawn hynt a helynt, ac unigrwydd ar ôl perthynas wedi chwalu a'r trafferthion sy'n dod yn sgil torperthynas, hyfryd o beth a chysur o'r mwya yw cyfarfod rhywun fel Elizabeth fydd yn mynd yn ei blân er gwaetha'r troeon trwstan mae bywyd yn eu taflu aton ni.

Dwi nawr yn ishte yn y Blackfin Pub ger y marina yn Comox, ar lannau hardd afon Comox ac ar ôl gorffen sgrifennu hwn a'r botel arall o'r seidr *brut* arbennig 'ma bydda i'n mynd lan yr hewl i bostio'r broflen 'ma 'nôl i'r Lolfa yng Nghymru lon, yn y gobaith y bydd Meinir yn gallu neud sens mas o'r sgrifen wael 'ma! Diolch yn fawr i Meinir a phawb yn y Lolfa.

Tan tro nesa, hwyl fawr a phob lwc i bawb.

(26 Mai, 2011)

Darllenwch ddwy gyfrol gyntaf yr hunangofiant:

£9.95

Hefyd o'r Lolfa:

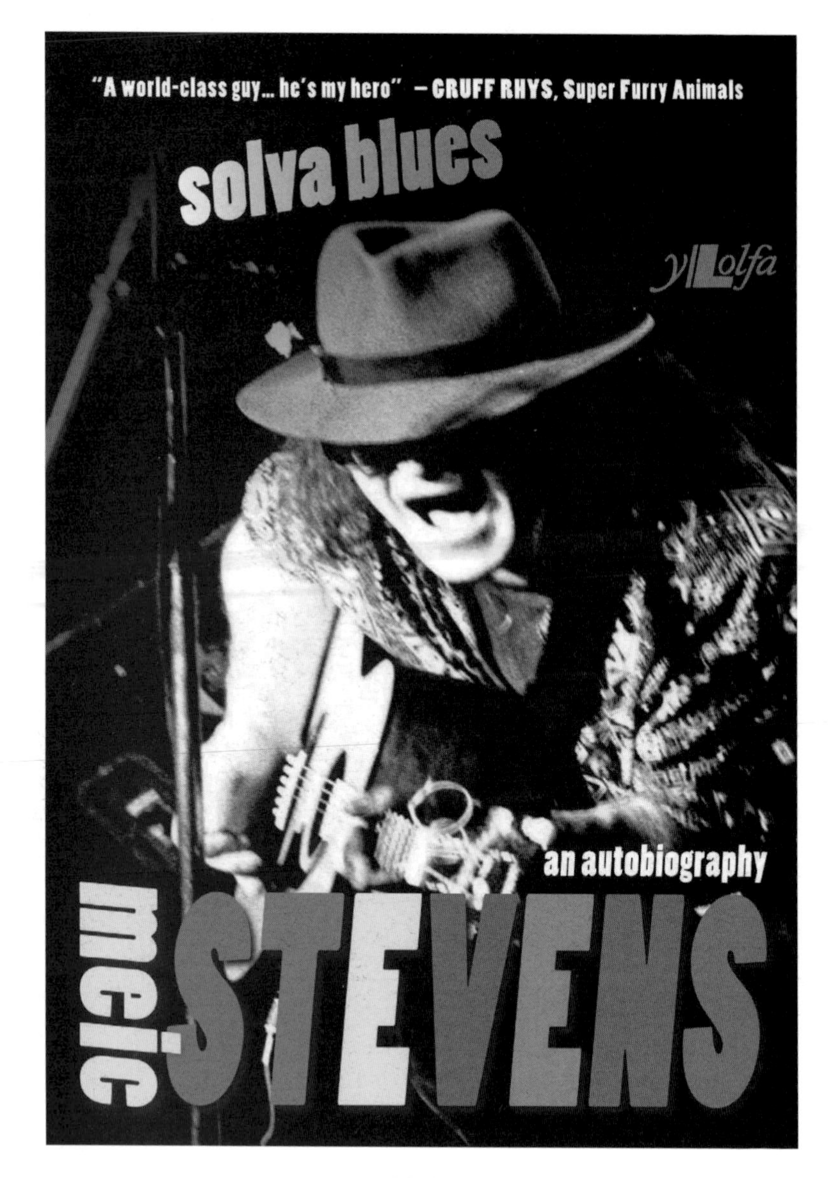

£9.95

Goreuon Meic Stevens, Dafydd Iwan, Bryn Fôn, Edward H,
Caryl Parry Jones, Sibrydion a llawer mwy...
100
O GANEUON
POP
Alawon, geiriau a chordiau gitâr
Gol. Meinir Wyn Edwards
100 Welsh pop standards
y Lolfa

£14.95

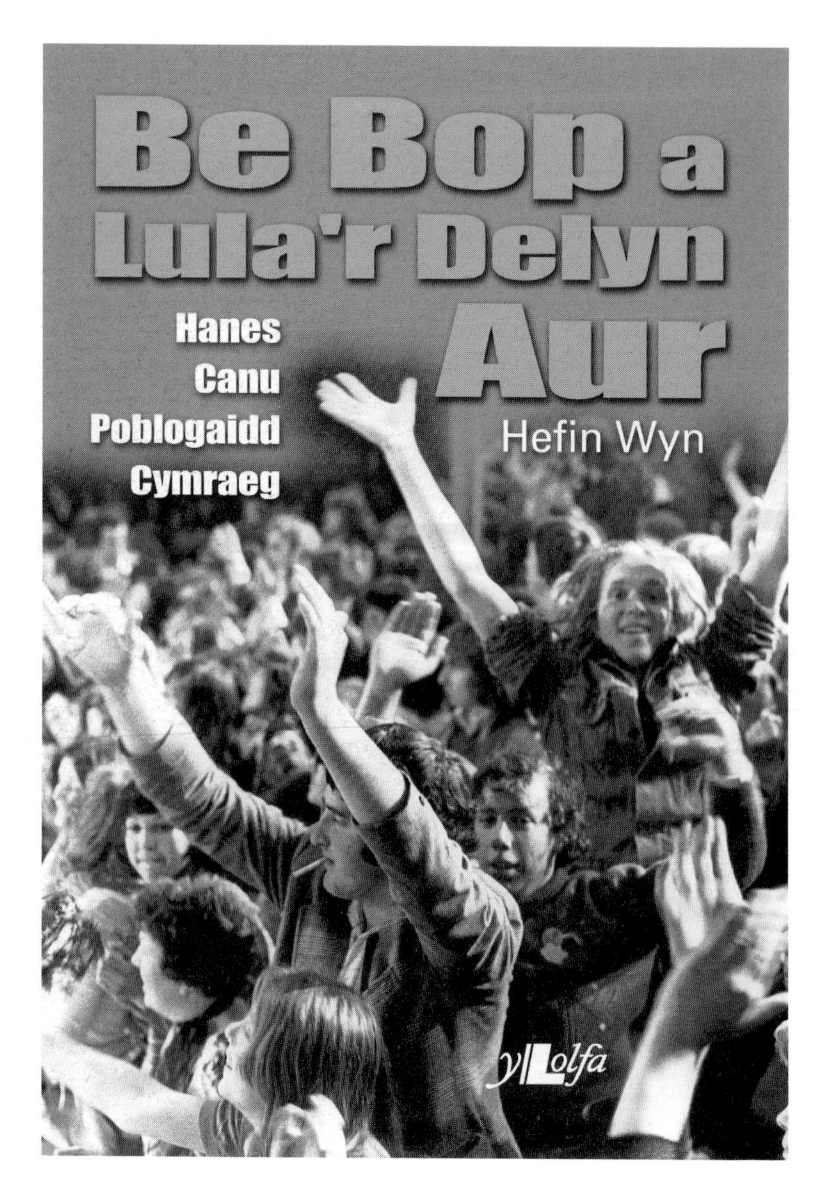
Be Bop a Lula'r Delyn Aur
Hanes
Canu
Poblogaidd
Cymraeg
Hefin Wyn
y Lolfa

£14.95

"Gonest a brwdfrydig – ardderchog" – Gareth Potter
BLE WYT TI RHWNG?
Hanes
canu poblogaidd
Cymraeg
1980–2000
HEFIN WYN
y Lolfa

£14.95

Am restr gyflawn o lyfrau'r Lolfa, mynnwch
gopi am ddim o'n catalog
neu hwyliwch i mewn i'n gwefan

www.ylolfa.com

lle gallwch archebu llyfrau ar-lein.

y Lolfa

TALYBONT CEREDIGION CYMRU SY24 5HE
ebost ylolfa@ylolfa.com
gwefan www.ylolfa.com
ffôn 01970 832 304
ffacs 832 782